STOCKHOLM

Une publication des Guides Berlitz

Printed in Switzerland by Weber S.A., Bienne.

9e édition (1992/1993)

Mise à jour: 1992, 1990, 1988, 1986, 1982

Comment se servir de ce guide

- Toutes les indications utiles avant et pendant votre voyage sont groupées sous le titre *Berlitz-Info*, page 103. Au verso de la couverture figure le sommaire des *Informations pratiques* proprement dites, qui débutent à la page 107.

- *Stockholm et ses habitants,* page 6, et *Un peu d'histoire,* page 15, constituent une bonne introduction à la destination que vous avez choisie.

- Tous les monuments et sites à découvrir sont décrits de la page 28 à la page 63, tandis qu'un choix d'excursions vous est proposé de la page 63 à la page 79. Sélectionnés selon nos propres critères, les centres d'intérêt à voir absolument vous sont signalés par le petit symbole Berlitz.

- Les achats, les sports, les distractions vous sont présentés entre les pages 79 et 92. Pour tout savoir sur les *Plaisirs de la table,* plongez-vous dans les pages 94 à 102.

- Un index, enfin (pp. 126–128), vous permettra de retrouver sites et monuments en un clin d'œil.

Bien que l'exactitude des informations présentées dans ce guide ait été soigneusement vérifiée, elle n'en est pas moins subordonnée à des fluctuations temporelles. Aussi ne saurions-nous assumer de responsabilité pour des modifications de faits, de prix, d'adresses et d'autres éléments sujets à variations. Nos guides étant remis à jour régulièrement, nous examinerons volontiers toutes les remarques dont nos lecteurs voudraient bien nous faire part.

Texte établi par Edward Maze
Adaptation française: Dominique Peters
Rédactrice: Isabelle Turin
Photographie: Jean-Claude Vieillefond
Maquette: Aude Aquoise
Nous remercions l'office du tourisme suédois, en particulier Christina Guggenberger et Karl Wellner du Service d'information de Stockholm, ainsi que le Scandinavian Airlines System et John H. Herbert de leur aide précieuse. Merci enfin à Pierre-André Dufaux de son assistance. Les photos des pages 84 et 89 nous ont été transmises par l'Office du tourisme suédois.
4 Cartographie: 🌐 Falk-Verlag, Hambourg.

Table des matières

Cartographie

Stockholm et ses habitants

La réalisation d'un ambitieux programme d'aménagement urbain a eu pour conséquence de modifier totalement le visage de Stockholm. Au cœur de cette métropole née il y a sept siècles, les édifices à tourelles ont fait place à des buildings aux toits plats; les bureaux l'emportent sur les appartements, et nombre de citoyens se sont repliés dans la banlieue. Si le Grand-Stockholm compte près d'un million et demi d'habitants, moins de 700 000 âmes vivent dans la ville proprement dite.

Sergels Torg symbolise à merveille le Stockholm d'aujourd'hui... Cette place porte le nom d'un sculpteur suédois du XVIIIᵉ siècle: Johan Tobias Sergel. Mais si cet artiste revenait dans le quartier où il avait son atelier, le reconnaîtrait-il? Il découvrirait en revanche de somptueuses galeries marchandes – et un point de ralliement pour toutes sortes de manifestations: contre la tyrannie de tel ou tel régime, pour les droits des homosexuels, la libération de la femme ou l'ouverture de nouvelles crèches. Le tout dans une atmosphère qui tient souvent du carnaval.

La nature a doté la capitale d'un cadre incomparable, à la rencontre des eaux bleues du lac Mälar et de celles, plus sombres, de la Baltique. Etalée sur quatorze îles reliées par une quarantaine de ponts, c'est la «ville qui flotte sur l'eau», comme le décrivit la grande romancière suédoise Selma Lagerlöf.

Ajoutons, pour compléter le tableau, des parcs verdoyants, des places fleuries, des flèches d'églises se détachant

sur les ciels mauves de la mi-été, des ruelles pittoresques, des quais ombragés, des voiliers et des bateaux blancs qui s'intègrent dans le paysage urbain et ouvrent la route de l'archipel tout proche.

Stockholm devait attendre près de quatre siècles avant de devenir officiellement, en 1634, la capitale de la Suède. Sa croissance fut lente et difficile jusqu'au milieu du siècle dernier. Aujourd'hui, la ville est non seulement le siège du

Le Globe Arena, *gigantesque stade et salle de concerts, avec son dôme futuriste au sud de Stockholm.*

Parlement et l'endroit où s'élève le Palais royal, mais aussi le centre économique et financier du pays. Et bien que l'espace ne manque pas en ce pays – quatrième Etat d'Europe par la superficie –, plus du sixième de la population vit dans le district de Stockholm. **7**

Petit trio improvisé pour flûte, guitare et saxo ténor: à Stockholm, les musiciens des rues ont acquis très tôt leurs lettres de noblesse.

Les îles et les quartiers qui constituent la capitale présentent une telle variété qu'ils donnent l'illusion d'un agrégat de villes en miniature, chacune ayant son charme et son caractère propres.

Prenez par exemple Gamla Stan, la Vieille Ville. C'est là que Stockholm vit le jour en **8** 1252. En parcourant ses ruelles pavées, vous serez transporté au Moyen Age.

A l'opposé, Norrmalm, qui est le quartier nord de la ville, reflète l'univers d'un XXe siècle finissant: gratte-ciel de verre, galeries marchandes, circulation empruntant des voies aussi bien souterraines qu'aériennes. Östermalm, qui fait suite à ce secteur, est un

quartier résidentiel où voisinent luxueux immeubles et ambassades.

Kungsholmen, l'île située à l'ouest du centre, groupe des bâtiments administratifs, dont le superbe Stadshuset (hôtel de ville), qui se dresse au bord du lac Mälar.

Autre facette de Stockholm: l'île de Söder. Située au sud de la ville, qu'elle domine de ses collines, elle évoque Montmartre par ses rues en pentes, et ses charmantes

Suède: Faits et chiffres

Géographie. Avec une superficie de 449 793 km², la Suède pourrait contenir plus de dix fois la Suisse. Partageant la péninsule scandinave avec la Norvège qui la borde à l'ouest, la Suède est limitée au nord-est par la Finlande. Sur la partie nord-orientale du territoire se déroulent les Alpes scandinaves, tandis qu'à l'est, au centre et au sud, le pays est tout en plaines et en plateaux. La forêt couvre la moitié de cet Etat aux côtes rocheuses très découpées. Iles principales: Öland et Gotland dans la Baltique.

Population. 8,5 millions hab. Plus de 80% des Suédois sont des citadins (1 400 000 à Stockholm). La population en majorité suédoise compte des minorités finnoise et lapone (Sami).

Gouvernement. Monarchie constitutionnelle. Le chef de l'Etat est le roi Charles XVI Gustave, mais c'est le Premier ministre qui est à la tête du Parlement *(Riksdag)*, constitué de 349 membres élus pour trois ans.

Economie. Principales ressources: industries métallurgique, mécanique, chimique, chantiers navals. L'industrie du bois et dérivés représente un quart des exportations.

Langue. Le suédois.

Religion. Luthérienne (95%).

maisons en bois nichées dans un cadre des plus agrestes.

Une part importante du budget est consacrée à l'embellissement de la ville. On plante chaque année un million de fleurs dans les parcs municipaux; plus de 9000 bancs y sont disposés, 120 aires de jeux mises à la disposition des enfants, et l'on pourvoit même à la nourriture des oiseaux. Pendant les mois d'été, sur 30 scènes en plein air, sont donnés gratuite-ment des spectacles de danse classique et folklorique, des pièces de théâtre et des concerts. Et quelque 500 sculptures ornent les places, les jardins et les rues.

La vie culturelle stockholmoise est plus florissante que jamais. L'Etat et la municipalité contribuent avec générosité aux dépenses de l'Opéra royal – deux fois centenaire, l'un des meilleurs du monde –, du Théâtre dramatique royal, d'une cinquantaine de musées

Söder, la grande île des quartiers sud, se mire dans l'eau. C'est un peu le Montmartre suédois, Montmartre campagnard et marin à la fois.

et de bien d'autres institutions.

Stockholm peut également se flatter de posséder la plus longue galerie d'art du monde : les cent kilomètres ou presque de son métro (qu'il vaut la peine de prendre même si vous n'en avez pas vraiment besoin pour vos déplacements). Les murs et les plafonds de nombreuses stations sont décorés de peintures, de mosaïques, de sculptures.

Autrefois, la vie nocturne était presque inexistante à Stockholm, mais, à mesure qu'apparut l'architecture nouvelle, on assista à une véritable explosion de boîtes de nuit, de bars, de discothèques. Même évolution dans les habitudes **11** alimentaires: beaucoup de restaurants proposent de la cuisine française, italienne ou chinoise au lieu des plats traditionnels. Ce changement s'explique en partie par l'afflux de travailleurs étrangers et surtout par le fait que les Suédois, jouissant au minimum de cinq semaines de congés payés par année, voyagent de par le monde et ont ainsi découvert d'autres gastronomies.

Vous en aurez la confirmation au premier coup d'œil: Stockholm appartient à une société d'abondance. Ses habitants vivent bien et s'habillent bien – si l'on excepte les jeunes qui tentent, comme ailleurs, toutes sortes d'expériences vestimentaires! Dans les magasins, on trouve tout ce qui fait le renom du *design* suédois et qu'illustrent si bien les verreries de la région de Småland, dans le sud-est du pays.

Et les Suédois? Disons qu'ils sont dans l'ensemble ordonnés, pragmatiques, plutôt réservés, et qu'ils possèdent avant tout le sens des responsabilités en matière sociale. Le monde entier a pris modèle sur les innovations sociales inscrites dans leur législation. S'ils peuvent sembler très matérialistes, si leurs cuisines regorgent de gadgets, ils n'en restent pas moins proches de la nature. Dès que

vient l'été, toute la famille se rend dans sa modeste maison des bois *(stuga)*. On cueille des baies, on ramasse des champignons, on goûte aux joies simples de l'existence.

A la belle saison, Stockholm et ses environs sont une source inépuisable de distractions. On peut découvrir la ville en bateau, embarquer pour des promenades plus lointaines en direction du merveilleux archipel de la Baltique ou des splendides châteaux de Drottningholm et Gripsholm, sur les rives du lac Mälar. La musique et la danse animent les parcs, des concerts sont donnés au Palais royal, des récitals dans les musées et les églises. Et tout – l'eau, les ponts, les places, les clochers – baigne dans la lumière féerique des longues journées de l'été. A croire que la Saint-Jean a mis la nuit en déroute... Juste revanche sur les ténèbres de décembre!

N'en concluez pas que Stockholm ne vaut d'être visité qu'en été. Certains trouvent la ville plus admirable encore quand la chute des feuilles transforme des avenues comme Strandvägen en une palette de couleurs automnales, ou quand les bourgeons, au printemps, éclatent soudain dans Haga et les autres parcs. Et au cœur de l'hiver, il y a l'enchantement de la neige qui donne aux ruelles des allures de cartes postales, et du gel qui permet aux Stockholmois de marcher ou de patiner sans crainte sur les canaux et les bras de mer.

Hiver finissant, printemps renaissant : c'est alors la belle saison pour s'adonner au ski de fond. Les environs de la ca-pitale sont «envahis» par les Stockholmois désireux de pro-fiter, après les ténèbres, des journées qui s'allongent et du soleil qui monte chaque jour davantage dans le ciel.

Ainsi, la «Venise du Nord» n'a-t-elle pas, en toute saison, quelque chose à offrir à ses visiteurs?

Et voici revenu le temps de la Saint-Jean d'été, des guirlandes pour les filles aux cheveux d'or ; le temps des jours qui gomment les nuits.

Un peu d'histoire

Les archéologues situent à il y a quelque 14 000 années l'époque où l'épaisse calotte glaciaire qui recouvrait le futur territoire de la Suède commença à fondre. Au cours des millénaires suivants, à mesure que les glaces cédaient du terrain, des tribus nomades de chasseurs et de pêcheurs vinrent peupler cette région nordique. Il semble que vers 3000 av. J.-C. une population pratiquant l'agriculture et l'élevage y vivait en communautés.

De magnifiques vestiges de l'âge de bronze, armes et parures, révèlent la prospérité d'une période qui nous a légué de mystérieuses sculptures sur roc représentant des animaux et des hommes. Mais les «Suédois» en tant que tels sont mentionnés pour la première fois en 98 apr. J.-C., dans *La Germanie* de l'historien romain Tacite : les ancêtres des Vikings y sont décrits comme de farouches guerriers disposant d'une flotte puissante.

Les Vikings

Le pays demeura pendant des siècles dans un relatif isolement. Puis vint un temps où les pays «civilisés» du Sud durent faire face aux «barbares» venus du Nord. La période viking, qui dura approximativement de 800 à 1050, fut marquée d'exploits souvent sanglants que relatent les inscriptions des milliers de pierres runiques qu'on a pu trouver en Suède.

Des Vikings, l'histoire a voulu retenir leurs expéditions féroces contre des pays plus prospères, le recours aux rapines plutôt que leurs tentatives pour tirer leur subsistance de leur propre territoire.

Toutefois, cette image qui a frappé l'imagination populaire – des guerriers sanguinaires ne trouvant de plaisir que dans le meurtre, le viol et le pillage – a été contestée depuis : les historiens modernes nous ont ainsi appris que ces Vikings étaient également des poètes et des artistes remarquables, des explorateurs, des colonisateurs qui ont apporté une contribution non négligeable aux pays qu'ils occupaient. Montés sur leurs célèbres drakkars, dont l'équipage comptait une cinquantaine de rameurs, ces extraordinaires marins ont poussé à l'ouest jusqu'en Angleterre, en Ecosse et en Irlande ; ils ont envahi une partie de la France (ainsi, la Normandie), ont fondé des colonies aux îles Féroé, en Islande, au Groenland, finissant par toucher les côtes du continent nord-américain. A l'est, les Suédois écumèrent les fleuves russes, prirent Kiev et Novgorod, atteignant même Constantinople...

En outre, les «Normands» mirent à profit leurs talents de navigateurs pour mener à bien des expéditions commerciales : ces pirates se firent marchands. Et ces païens se tournèrent vers la religion au contact des pays chrétiens...

Débuts de la christianisation

Durant toute la période viking, des missionnaires, pour la plupart anglais et allemands, vinrent évangéliser la Suède. Et un moine de Picardie, Anschaire, fonda vers 830 la première église à Birka, sur une île du lac Mälar.

L'évangélisation de la Suède ne se fit pas sans luttes, et l'on notera des retours au paganisme jusqu'au XIIe siècle. C'est ainsi qu'à Uppsala, les

L'histoire aux champs...

De la Suède – qui s'étend sur plus de 1500 km. du nord au sud –, on peut dire qu'elle est un vaste musée à ciel ouvert, où abondent des vestiges fascinants.

A commencer par les milliers de pierres runiques (du mot «rune», qui désigne les caractères de l'alphabet scandinave ancien) qui parsèment le pays ; on en trouve dans les champs comme dans les bois, le long des routes et même des autoroutes. Leurs inscriptions et leurs dessins gravés témoignent de l'histoire des Vikings et en perpétuent les mythes. Ces pierres relatent la vie quotidienne et les hauts faits des guerriers en l'honneur de qui elles furent élevées. Environ la moitié d'entre elles se trouvent en Uppland, au nord de Stock-

holm. De très beaux échantillons ont été transférés au Musée historique national de la capitale (voir p. 58).

Venus eux aussi du fond des âges : des cromlechs, enceintes funéraires constituées de pierres dressées ; des gravures rupestres représentant des hommes, des animaux, des bateaux ; et des tumuli surmontant des tombes vikings.

Enfin, et surtout peut-être, ce sont les églises médiévales qui donnent son caractère au paysage suédois. L'île de Gotland, en mer Baltique, en compte ainsi plus de 90. Avec leurs trésors remarquablement conservés – sculptures sur bois, vitraux, retables et fresques –, ces charmantes églises reflètent une conception naïve et attachante de la religion et de la vie.

dieux scandinaves étaient honorés chaque année par des rites sacrificiels. Au XIIIe siècle cependant, l'Eglise était devenue une force dominante dans le pays. Et c'est justement à Uppsala qu'avait été fondé, en 1164, le premier archevêché de Suède.

Le XIIIe siècle vit s'affronter des factions rivales : luttes d'où émergea un personnage marquant : Birger Jarl, le beau-frère du roi. Il renforça la centralisation et encouragea les relations commerciales avec d'autres pays. Contre les incursions des pirates, il érigea une forteresse, et c'est d'alors que date la fondation de Stockholm (1252). A la mort du roi, Birger Jarl fit élire son fils héritier de la couronne.

Les pierres runiques racontent les mille et une aventures des Vikings...

La personnalité qui rayonne sur le siècle suivant est sainte Brigitte, une mystique qui gagna une renommée mondiale. Née en 1303, elle épousa un noble à qui elle donna huit enfants. Son rôle à la cour ne l'empêcha pas de fonder un ordre monastique et une église à Vadstena (Suède centrale). Son ouvrage, *Révélations,* traduit en latin et largement diffusé dans le monde chrétien, est considéré comme un chef-d'œuvre de la littérature médiévale. Sainte Brigitte mourut à Rome, mais sa dépouille repose dans l'église de Vadstena.

L'Union de Kalmar

Pour contrebalancer la puissance toujours croissante de la Ligue hanséatique, une reine très capable, Marguerite Iʳᵉ de Danemark, prit l'initiative de grouper les royaumes danois, suédois et norvégien en une union, dite de Kalmar (du nom de la ville de Suède où le pacte fut signé en 1397).

L'emprise du Danemark finit cependant par peser aux Suédois et un mouvement d'opposition se dessina. Dans les années 1430, le grand héros national, Engelbrekt, prit la tête d'une insurrection et, en 1435, institua pour la première fois un parlement, comprenant des

A Gripsholm, ce vitrail honore la mémoire de deux grands souverains. A gauche, une étrange et merveilleuse église en bois à Gamla Uppsala.

représentants des quatre Etats : noblesse, clergé, bourgeoisie et paysannerie. Engelbrekt fut élu régent par ce *Riksdag,* mais il mourut peu après, assassiné. Bien que impopulaire, l'Union se maintint tant bien que mal jusqu'en 1520.

Cette année-là, Christian II de Danemark fit exécuter en masse des nobles suédois de l'opposition sous l'accusation d'hérésie. Loin d'éliminer la rébellion latente, le «bain de sang de Stockholm» provoqua une réaction générale qui hâta la dissolution de l'Union de Kalmar.

Un noble, cependant, échappa au massacre : Gustave Vasa, **19** qui tenta de soulever les paysans de Dalécarlie, en Suède centrale, contre le tyran danois. Le peuple, las, s'y refusa. Découragé, Vasa fuit vers la Norvège. Mais les paysans, qui avaient réfléchi, se lancèrent à ses trousses, le rattrapant après une poursuite épique... à skis. Evénement de nos jours commémoré par la *Vasaloppet*, la fameuse course de ski de fond. Les Danois vaincus, Vasa fut proclamé roi, à 27 ans, en 1523. Son règne dynamique allait dominer le XVIe siècle...

Gustave Ier fut à bon droit surnommé le «bâtisseur du royaume»: personnalité à l'énergie indomptable, il réorganisa l'administration, assainit les finances publiques – en confisquant notamment les biens considérables de l'Eglise. Sous l'opportune bannière de la Réforme, il jugula l'influence du clergé. Finalement, l'Eglise suédoise rompit avec Rome et la religion luthérienne fut officiellement adoptée. Le roi mourut en 1560 et trois de ses fils lui succédèrent sur le trône. La dynastie des Vasa devait se maintenir près de 150 années au pouvoir.

La Suède, grande puissance
Parmi les successeurs de Gustave Vasa, le plus éminent fut Gustave II Adolphe, couronné en 1611, à 17 ans. Il développa le commerce et l'industrie, renforça les pouvoirs du Parlement, et annexa des territoires russes et polonais. Sous son règne vigoureux, le pays devint pour un temps la première puissance d'Europe.

En 1628, cependant, survint ce qui pouvait être interprété

comme un mauvais présage : le vaisseau de guerre *Wasa* (voir p. 46), symbole de la grandeur de la nation, coula dans le port de Stockholm à sa première sortie. Quelques années plus tard,

Gustave II Adolphe, qui avait embrassé la cause protestante durant la guerre de Trente Ans, fut tué en Allemagne.

Sa fille Christine n'ayant alors que 6 ans, le comte Axel

Drottningholm, le Versailles suédois, s'entoure de beaux jardins aux pelouses jalonnées de statues, de fontaines. Une ineffable grandeur...

Oxenstierna exerça la régence avec maîtrise. Christine monta sur le trône en 1644. Femme talentueuse mais excentrique, elle transforma sa cour en un brillant «salon» fréquenté par d'illustres intellectuels, tel Descartes, mort ici en 1650. De village provincial, Stockholm devint une cité raffinée. Mais en 1654, à la stupéfaction générale, Christine abdiqua, se convertit au catholicisme et partit vivre à Rome.

Au XVIIe siècle, la Suède (qui avait déjà annexé l'Estonie) se tailla de nouveaux territoires en Baltique et le long des côtes allemandes. Elle envahit également une partie du Danemark et de la Norvège, et fonda sa première colonie américaine dans ce qui est aujourd'hui le Delaware.

Cette ère de grandeur semblait devoir se poursuivre avec l'avènement de Charles XII, en 1697. Maître du royaume à l'âge de 15 ans, il reste l'une des figures les plus célèbres et les plus discutées de l'histoire de Suède. Encouragé par une série de prouesses sur les champs de bataille, il fit pénétrer son armée au cœur de la Russie en 1708–1709. Cependant, il fut défait par Pierre le Grand à Poltava.

Après un long exil en Turquie, Charles XII reprit les armes, mais fut tué en Norvège en 1718. La balle qui le frappa avait-elle été tirée par un ennemi ou par l'un des propres soldats du roi? Vieux sujet de controverse entre les historiens...

Quoi qu'il en soit, sa mort marqua pour la Suède la fin de l'Empire balte. Elle ne conserva que la Finlande et une partie de la Poméranie, tandis que des décennies de guerre laissaient le pays affaibli et endetté.

L'âge d'or

Dans les années de paix qui suivirent, on assista en Suède à un prodigieux épanouissement culturel et scientifique. Carl von Linné jeta les fondements de la botanique moderne avec sa classification des plantes. On doit à Anders Celsius, physicien et astronome, l'échelle thermométrique centésimale que nombre de pays ont adoptée. Emanuel Swedenborg, lui, fut à la fois un précurseur inventif dans le domaine de la recherche scientifique et un visionnaire, fondateur d'une nouvelle doctrine théologique.

Le règne de Gustave III (1771–1792) fut également placé sous le signe de la culture. Ce roi, passionné de musique,

**Le pacifiste qui inventa
la dynamite**

Alfred Nobel (1833–1896), inventeur, ingénieur et industriel, déposa au cours de sa vie plus de 350 brevets. Dès l'adolescence, il se révéla un chimiste de premier ordre, doublé d'un passionné de philosophie et de littérature. Excellent linguiste, il connaissait – outre sa langue maternelle, le suédois – le français, l'allemand, l'anglais et le russe.

Il est pour le moins paradoxal que Nobel, pacifiste à tout crin, ait apporté une contribution majeure à la guerre moderne en inventant la dynamite, la gélatine explosive (plus puissante encore) et la poudre sans fumée. Ces inventions furent à la base de son empire industriel, qui allait s'étendre rapidement sur les cinq continents.

Dans son testament, rédigé un an avant sa mort, il institua les célèbres prix destinés à ceux qui mériteraient le plus le titre de «bienfaiteur de l'humanité», tout en stipulant que cette récompense ne devrait en aucun cas tenir compte de la nationalité des candidats. Il y consacra toute sa fortune, qui se montait à plusieurs millions de dollars.

Décernés pour la première fois en 1901, les prix Nobel se répartissent en cinq catégories: physique, chimie, physiologie et médecine, littérature, action en faveur de la paix. Elles reflètent bien les propres préoccupations de Nobel – un savant amoureux de littérature (un excellent connaisseur, notamment, des lettres anglaises), et qui détestait la guerre. Un savant qui lutta pour un monde meilleur.

d'art et de littérature, créa l'Opéra royal et l'Académie suédoise (qui aujourd'hui décerne le prix Nobel de littérature). Grâce à lui, la nation se dégagea de l'influence française, revalorisa sa propre langue et connut ce qu'on appelle le «style gustavien», adaptation élégante du style Louis XVI.

Mais après l'assassinat de Gustave III lors d'un bal masqué à l'Opéra, la Suède fut entraînée dans les guerres napoléoniennes. En 1809, une nouvelle constitution accorda aux Suédois nombre des droits dont ils bénéficient de nos jours. Vers la même époque, la Finlande, incorporée à la Suède depuis 600 ans, revint à la Russie par suite d'un accord entre Napoléon et le tsar Alexandre Ier. C'est alors que Charles Jean-Baptiste Bernadotte, maréchal d'Empire, fut élu prince héritier de Suède (1810). Le pays escomptait recevoir par cette élection l'appui de la France pour récupérer la Finlande. Un compromis intervint toutefois en 1814 avec la cession par le Danemark de la Norvège, dont le rattachement à la couronne suédoise devait durer jusqu'en 1905. Et en 1818, Bernadotte devenait roi de Suède sous le nom de Charles-Jean (Karl XIV Johan), fondant une dynastie qui s'est maintenue jusqu'à nous.

Une crise agricole sévit dans le royaume à la fin du XIXe siècle, et des centaines de milliers de Suédois émigrèrent en Amérique. Mais, à bien des égards, des changements sociaux et politiques d'une grande portée améliorèrent grandement la vie de ceux qui étaient restés au pays. Entres autres réformes: le Parlement, jusque-là représentatif des quatre Etats, adopta le système bicaméral. (Depuis 1971, cependant, le Parlement n'est plus formé que d'une chambre unique.)

Le XXe siècle

Notre siècle a vu la Suède passer rapidement d'une économie rurale à une économie industrielle. Les campagnes se sont vidées au profit des villes, mais

Stadshuset: la salle dorée, cadre dans lequel les Nobel sont reçus.

l'émigration ne s'est pas arrêtée pour autant: en 1930, environ un million de Suédois étaient déjà partis trouver sur le continent américain une nouvelle patrie.

La puissance des syndicats et de leur allié, le Parti social-démocrate (fondé en 1889), n'a cessé de s'affirmer. Hjalmar Branting, le grand leader socialiste, devint Premier ministre en 1920, et son vaste programme de réformes a instauré, plus que partout ailleurs, ce qu'on a appelé «l'Etat-Providence».

Pour assurer leur sécurité du berceau à la tombe, les Suédois paient les impôts les plus élevés du monde. Mais nombre d'entre eux estiment que ce fardeau fiscal est contrebalancé par de substantiels avantages sociaux: aide au logement, congé de maternité, gratuité de l'hôpital, retraite, etc. Il ne s'agit cependant pas de socialisme, l'industrie restant, dans son ensemble, gérée par des intérêts privés.

L'essor industriel du pays a non seulement favorisé l'Etat-Providence mais donné à la population un niveau de vie parmi

Quand l'architecture se prend au jeu de la perspective et du miroir.

les plus élevés du monde. La Suède a su exploiter ses quelques ressources naturelles, principalement son minerai de fer et ses forêts.

Le génie technique des Suédois a joué un rôle non moins significatif dans l'édification d'une société avancée. Des compagnies d'envergure internationale se sont développées sur la base d'inventions suédoises comme la dynamite (Alfred Nobel), la calculatrice moderne (W.T. Odhner); les roulements à billes (Sven Wingquist), l'allumage automatique des phares et balises (Gustaf Dalén), l'écrémeuse-centrifugeuse (Gustaf de Laval), le courant alternatif triphasé (Jonas Wenström), etc.

le chef de l'Etat, mais le pouvoir réel revient au Parlement, l'un des corps législatifs les plus anciens du monde. Les sociaux démocrates, maîtres du gouvernement pendant une durée record de 44 ans – dominant ainsi la vie politique –, furent battus et brièvement évincés du pouvoir entre 1976 et 1982 par les partis «bourgeois». Mais le consensus national demeure l'objectif essentiel qui justifie bien de discrets compromis. Même les conservateurs approuvent dans ses grandes lignes la notion d'Etat-Providence.

Bien que la Suède n'ait participé à aucune guerre depuis 1814, ce n'est qu'au XXe siècle que s'est affirmée la politique de stricte neutralité qui l'a tenue à l'écart des deux conflits mondiaux. Elle n'a pas signé de pactes militaires comme celui de l'OTAN, et elle a même choisi de ne pas adhérer au Marché commun, tout en devenant membre de l'OCDE.

Cela ne signifie nullement que les Suédois soient isolationnistes! Leur pays est un partenaire actif et loyal au sein des Nations unies, et il s'est fait l'ardent défenseur des opprimés du monde entier, le censeur implacable de toutes les formes de despotisme ou d'intolérance.

Par ses innovations dans les domaines les plus variés – allant de l'éducation sexuelle à l'urbanisme – la Suède fait presque figure de «pays modèle». Des sociologues, des architectes, des éducateurs et autres spécialistes viennent étudier sur place l'expérience suédoise. Dans les arts appliqués également, le style «suédois moderne» est devenu synonyme de goût et de qualité.

La Suède est une monarchie constitutionnelle. Le roi reste

Que voir

Si vous regardez un plan en couleurs de Stockholm, que voyez-vous? Beaucoup de bleu (l'eau, évidemment) et de vert (les parcs), des îles, des ponts, et des rues qui vont dans tous les sens. Cette vue panoramique, vous l'aurez de façon saisissante du sommet de **Kaknästornet,** le plus haut building de Scandinavie. Visuellement, il n'est pas de meilleure approche pour sentir la beauté de la ville... et sa complexité.

S'orienter dans Stockholm n'est cependant pas aussi difficile qu'on pourrait le penser. D'abord, presque tout ce que vous voudrez visiter se trouve dans le centre – Norrmalm et ses alentours – ou dans Gamla Stan, la Vieille Ville. Et puis un bon réseau de transports publics permet d'accéder facilement aux quartiers périphériques.

Pour une première explora-

tion, une première impression sur le rythme et l'ambiance de la cité, rien ne vaut une **promenade en bateau.** En une heure, vous pourrez faire le tour de l'île de Djurgården; en deux heures, vous découvrirez la mer Baltique et le lac Mälar. Départ de ces visites organisées à Strömkajen, près du Grand Hôtel, ou à Stadshusbron, le pont de l'hôtel de ville. Vous suivrez d'étroits canaux, passerez sous des ponts, longerez des quais, des châteaux et des parcs. Bref, une promenade passionnante en perspective!

Les visites en autocar couvrent une bonne partie de

La ville surgie des eaux, en son écrin de verdure, presque telle que Nils Holgersson la vit en son «merveilleux voyage à travers la Suède».

T Tunnelbana (Métro)

i Office du Tourisme

Valhallavägen

Lindarängsvägen

T KARLAPLAN

Karlavägen

Narvavägen

Oxenstiernsgatan

Banérgatan

Grevgatan

Greve von Essens Väg

TV-huset

Radiohuset

Gärdesgatan

Kaknästornet

Linnégatan

Historiska Museet

Strandvägen

Nobelgatan

Djurgårdsbrunnsvägen

Sjöhistoriska Museet

Museivägen

Tekniska Museet

Strandvägen

Djurgårdsbron

Djurgårdsbrunnsviken

Rosendalsvägen

Rosendalsvägen

Nordiska Museet

Vasamuseet

DJURGÅRDEN

N

Biologiska Museet

Bollnäs-torget

Skansen

Segloria Kyrka

Bellmans Väg

Rosendalsvägen

Liljevalchs Konsthall

Djurgårds-staden

Kina Gränd

Djurgårds-slätten

Sirishovsvägen

Djurgårdsvägen

Sofilidsbacken

Djurgårdsvägen

Djurgårdsvägen

Gröna Lund

Prins Eugens Väg

KASTELLHOLMEN

Waldemarsudde

0   200   400   600 m

S a l t s j ö n

Stadsgården

Folkungagatan

Ãsögatan

STOCKHOLM-CENTRE

la capitale (départ de Karl XII: s Torg, près d'Operakällaren). Des guides experts et polyglottes décrivent les curiosités au fil des circuits en car ou en bateau.

Les trams pittoresques de Stockholm – une attraction en soi – circulent tous les jours en été de Norrmalmstorg à Waldemarsudde (le weekend seulement en hiver). Vous pouvez acheter les billets «spéciaux» dans le tram même. Procurez-vous un billet touristique valable un ou trois jours pour le vaste réseau de bus et de métros (moins pittoresques certes, mais très efficaces). Ce billet est très économique, alors que les taxis sont très chers.

Stockholm est une ville pour piétons et ne révèle toutes ses beautés qu'au flâneur. Equipez-vous donc de bonnes chaussures de marche.

Le centre

Vous passerez certainement une bonne partie de votre temps à Norrmalm, le cœur du nouveau Stockholm. Là sont groupés des magasins, des banques, des salles de spectacle, les grands hôtels, l'aérogare principale et la gare centrale.

Ce quartier a subi une reconstruction quasi totale. D'or-

Un coup d'œil à l'intérieur de Kulturhuset, au royaume de la culture. A gauche, l'étonnant obélisque de verre, orgueil de Sergels Torg.

gueilleux gratte-ciel se dressent en un déploiement surprenant de formes et de matériaux modernes. On a rasé de vieilles rues au profit de galeries marchandes dotées de restaurants et de cinémas.

Sergels Torg (place Sergel) est une place particulièrement typique de la modernisation de la ville, et vous devriez commencer par elle. Vous saurez que vous l'avez atteinte quand vous verrez jaillir d'une fontaine un gigantesque obélisque

de verre. En contrebas, l'animation des galeries marchandes ne le cède en rien à celle créée par les contestataires de tout bord qui ont pris Sergels Torg comme lieu de rendez-vous et point de départ de leurs manifestations.

Au même niveau, sur cette place: l'entrée de **Kulturhuset,** la Maison de la Culture, où des milliers de visiteurs affluent chaque jour pour voir des films et des vidéos, des expositions d'art et d'artisanat, **33** ou écouter de la musique, de la poésie, des lectures de pièces ou des débats. C'est également le siège du Stadtsteatern (théâtre municipal), qui présente des spectacles classiques et modernes en suédois.

Dans sa bibliothèque, des journaux et magazines étrangers sont à la disposition du public. Calé dans un fauteuil muni d'écouteurs, vous pourrez également vous offrir un concert de musique classique ou de jazz. Des cabines sont prévues pour l'étude des langues, par disques ou bandes magnétiques. Les enfants, eux, mettent leurs écouteurs pour entendre des contes de fées.

Au bout d'une galerie marchande où retentissent souvent les chansons de musiciens des rues, on accède à **Hötorget** (marché au foin), une place aussi garnie de gratte-ciel que Sergels Torg. Un marché à ciel ouvert ajoute la note de couleur de ses étalages de fruits, de légumes et de fleurs. Une salle de concert, **Konserthuset,** se distingue par son style néo-classique, ses portes de bronze et ses colonnes corinthiennes. L'Orchestre philharmonique de Stockholm s'y produit, mais vous pourrez tout aussi bien y entendre des ensembles de musique de chambre... et des groupes pop. Devant l'édifice se dresse la **fontaine d'Orphée,** l'une des dernières œuvres majeures du grand sculpteur Carl Milles. (Voir aussi p. 54.)

Regagnez Sergels Torg et prenez à gauche pour atteindre **Hamngatan,** l'une des principales artères commerçantes de la ville. A côté de grands magasins comme NK (Nordiska Kompaniet), le plus vaste de Suède, ou du tout nouveau Gallerian, d'innombrables boutiques et plusieurs restaurants.

Sverigehuset (Maison de la Suède), 27 Hamngatan, met à votre service un bureau d'informations touristiques sur Stockholm et sa région, ainsi qu'une librairie.

Depuis Hamngatan jusqu'à Strömmen s'étend le parc le plus vivant de Stockholm: **Kungsträdgården.** Ouvert au XVIe siècle, ce Jardin royal était autrefois réservé à la famille royale et à la cour. C'est à présent, en été, le lieu de promenade favori des Stockholmois et des touristes. Orné de statues, il offre ses cafés et restaurants de plein air, ses expositions botaniques, ses concerts. Les distractions ne manquent pas dans ce beau jardin:

Un dimanche à Kungsträdgården, le parc préféré des Stockholmois: les uns jouent, les autres méditent.

Pour ne pas se perdre

Vous serez moins dépaysé si vous connaissez quelques mots de suédois. Nous vous donnons ici quelques termes des plus courants. A noter que ces mots apparaissent souvent en composition, accolés au nom de la rue, de la place, du pont, etc. Ainsi Skräddargränd signifie ruelle *(gränd)* des tailleurs *(skräddar)*. Quant aux finales en «-n» et en «-et», elles indiquent que l'article est soudé au nom: ainsi Hamngatan signifie *la* rue du port; Stadshuset, *l'*hôtel de ville. Aussi avons-nous jugé inutile, pour pratiquement chaque nom de lieu, de le faire précéder d'un article en français.

bro	pont
gata	rue
gränd	ruelle
hamn	port
holme, ö	île
kyrka	église
plan, plats, torg	place
sjö	lac
slott	château
stad	ville
väg	avenue

on peut y apprendre des danses folkloriques, assister à un spectacle de marionnettes, jouer au ping-pong, au badminton, aux échecs (grand format!) et, l'hiver, y patiner. Ou bien flâner simplement le long d'allées plantées de tilleuls, s'asseoir sur un banc et regarder la foule des promeneurs.

Si vous suivez Hamngatan vers l'est, vous trouverez, au n° 4, **Hallwylska Museet.** C'est une demeure patricienne des années 1890 qui abrite ce musée composé de 70 salles riches en tapisseries des Gobelins, en figurines de porcelaine, en peintures flamandes et hollandaises, en mobilier ancien, en objets d'art de toute sorte. Plus loin, à Nybroplan, **Kungliga Dramatiska Teatern** (Théâtre royal), ou Dramaten, a vu les débuts d'acteurs comme Greta Garbo, Ingrid Bergman et Max von Sydow. Le grand dramaturge américain Eugene O'Neill, mort en 1953, devait confier à ce théâtre ses dernières pièces, dont le *Long Voyage dans la nuit.* On y joue souvent et magnifiquement, faut-il le préciser, les œuvres d'August Strindberg, natif de Stockholm, de Shakespeare et autres classiques, sans parler des auteurs contemporains.

De Nybroplan, longez le quai dénommé Nybrokajen, et vous arriverez bientôt au **Nationalmuseum** (voir p. 56). Continuez alors le long de l'eau, dépassez le Grand Hôtel et les bateaux blancs en partance pour l'archipel de Stockholm, puis tournez à gauche dans Arsenalsgatan, rue qui coupe la partie méridionale de Kungsträdgården. Vous passerez devant la statue de Charles XII, le personnage le plus illustre de l'histoire suédoise, et, un peu plus loin, devant **Jakobs Kyrka,** une église du XVIIᵉ siècle dont vous admirerez en particulier le portail sud, de 1644.

En continuant tout droit, vous aboutirez à Gustav Adolfs Torg, une grande place où se dresse la statue équestre du héros de la guerre de Trente Ans, Gustave II Adolphe. Sur le côté est de la place, **Kungliga Operan** (Opéra royal) est un morne édifice de style baroque construit en 1898. Gustav III, grand protecteur des arts, fonda cette institution en 1773. C'est au théâtre qui abritait alors l'Opéra que le roi fut assassiné au cours d'une fête costumée, en 1792. (L'événement inspira Verdi dans *Le Bal masqué.*)

L'Opera royal perpétue une longue et brillante tradition. Il évoque les noms de chanteurs prestigieux qu'il fut le premier à accueillir – depuis Jenny Lind, le «rossignol suédois» du siècle passé, jusqu'à Jussi Björling et à Birgit Nilsson. On y donne chaque saison près de 400 représentations d'opéra et de ballet, de la plus haute qualité.

Gamla Stan
(Vieille Ville)

Tout le passé de Stockholm se concentre dans Gamla Stan ou, comme on l'appelle joliment, la «cité entre les ponts». C'est sur cette île (quatre îlots très proches, en fait) que Stockholm naquit, il y a plus de 700 ans. Les ruelles pavées suivent le même tracé sinueux qu'à l'époque médiévale. Au milieu des maisons, palais et églises plusieurs fois centenaires, vous aurez l'impression de remonter le temps...

Aucune visite de Stockholm n'est concevable sans le merveilleux dépaysement que procure Gamla Stan. Partez de Gustav Adolfs Torg et traversez le Strömmen, où les eaux du lac Mälar se jettent dans la Baltique, en empruntant Norrbro, pont aux arches gracieuses. A droite, vous verrez Riksdagshuset (l'ancien siège du Parlement) et, devant vous, la façade massive de **Kungliga Slottet** (Palais royal), dominant l'extrémité nord de la Vieille Ville.

Ce beau château fut, avec ses 600 salles, la plus vaste résidence royale du monde. Mais la famille régnante s'est installée à Drottningholm (voir p. 68), un château qui se prête mieux à la vie de famille. **37**

Cet ensemble, dont les plans furent dessinés par Nicodème Tessin le Jeune, et dont la construction fut achevée en 1754, s'élève à l'emplacement du château des Tre Kronor (Trois Couronnes), entièrement ravagé par un incendie en 1697.

Fait remarquable, l'accès à Kungliga Slottet est libre: n'importe qui peut pénétrer dans la cour intérieure. Vous aurez ainsi la possibilité de visiter presque tout l'édifice et

d'admirer l'architecture rococo de la Chapelle royale ou le trône d'argent de la reine Christine dans les appartements d'Etat. Parmi les joyaux exposés dans le **Trésor** *(Skattkammaren),* figurent la couronne royale, portée pour la première fois lors de l'avènement d'Erik XIV, en 1561, et la couronne sertie de près de 700 diamants, exécutée en 1751 pour la reine Lovisa Ulrika.

A voir également au palais: les **appartements royaux** et des

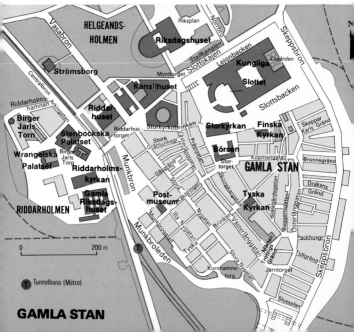

GAMLA STAN

galeries de styles baroque et rococo qui contiennent d'inestimables richesses – tapisseries des Gobelins du XVIIe siècle, peintures, meubles, porcelaines et bijoux ayant appartenu à divers rois et reines; outre le Trésor, le palais abrite trois autres musées: le **musée du Palais,** consacré aux vestiges du Moyen Age; le **musée des Antiquités,** où sont exposées des sculptures rapportées d'Italie par Gustave III dans les années 1780; et enfin **Livrustkammaren,** le Cabinet royal des Armures.

Parmi cette extraordinaire collection d'armes et de costumes royaux, vous verrez, empaillé, le cheval que montait Gustave II Adolphe à la bataille de Lützen, durant laquelle il trouva la mort en 1632; l'uniforme que portait Charles XII lorsqu'il fut mortellement blessé devant Fredrikshald, en Norvège (1718); le costume, enfin, dans lequel Gustave III fut assassiné lors d'un bal masqué à l'Opéra, ainsi que l'arme et le masque de son meurtrier.

La **relève de la garde** a lieu en musique, dans la cour exté-

Volées de marches et becs de gaz: la ruelle la plus étroite de la ville, la Mårten Trotzigs Gränd.

L'heure de la relève de la garde vient de sonner au Palais royal:
des fastes qui sont l'un des spectacles les plus courus de Stockholm.

rieure du palais: à 12 h 15 le mercredi et le samedi, ainsi que tous les jours de la semaine d'avril à octobre, et à 13 h 15 le dimanche toute l'année.

Le palais abrite aussi une boutique de souvenirs (voir p. 83).

Dirigez-vous ensuite en diagonale depuis la façade sud du Palais royal, et vous aurez de-

ges terrassant le Dragon, chef-d'œuvre de sculpture sur bois exécuté au XVe siècle par Bernt Notke, de Lübeck, et symbolisant la lutte de la Suède pour échapper à l'emprise danoise.

C'est à quelques pas de cette magnifique église, sur **Stortorget,** la grand-place, qu'eut lieu, en 1520, le sinistre «bain de sang de Stockholm»: Christian II de Danemark fit décapiter plus de 80 nobles suédois, et empiler les têtes en une pyramide au milieu de la place. De beaux édifices anciens bordent Stortorget, notamment **Börsen** (la Bourse), construite en 1776. L'Académie suédoise s'y réunit chaque année pour décerner le prix Nobel de littérature.

Que faire maintenant dans Gamla Stan? La meilleure façon de goûter le pittoresque de la Vieille Ville est de déambuler au hasard. A chaque coin de rue, quelque chose vous attirera: boutiques d'antiquaires au rez-de-chaussée de maisons des XVe et XVIe siècles, palais ayant appartenu à de riches marchands, demeures à pignons et portails décorés, charmantes petites rues aux noms évocateurs, comme Gåsgränd (la ruelle aux oies) ou Drakens Gränd (la ruelle du dragon), galeries d'art, boutiques où l'on trouve des vêtements dernier cri, des bijoux faits

vant vous, sur Slottsbacken, **Storkyrkan** (grande église ou cathédrale). Fondée au XIIIe, c'est la plus ancienne de la ville, et presque tous les rois de Suède y furent couronnés. Son extérieur baroque assez triste ne rend que plus surprenant le gothique tardif de l'intérieur. Vous remarquerez *Saint Geor-*

41

main, des céramiques, etc. Laissez-vous guider par votre humeur, mais tâchez de ne pas manquer les endroits mentionnés ci-après.

A l'ouest de Stortorget, prenez au sud **Västerlånggatan.** Cette longue artère commerçante, qui a conservé son tracé médiéval sinueux, est piétonnière de bout en bout. Quand vous atteindrez Tyska Brinken, tournez à gauche pour découvrir **Tyska Kyrkan** (l'Eglise allemande), du XVIIᵉ siècle. Son style baroque se manifeste avec opulence, surtout à l'intérieur.

Presque tout au bout de Västerlånggatan, **Mårten Trotzigs Gränd,** la ruelle la plus étroite de la ville (à peine plus d'un mètre de largeur). Il s'agit en fait d'une succession de volées de marches qui montent vers Prästgatan.

Västerlånggatan se termine à Järntorget (place du marché à la ferraille) où débouche aussi **Österlånggatan,** rue sinueuse qui traverse l'île dans toute

sa longueur, et elle aussi bordée de galeries d'art et de boutiques d'artisans – mais qui respire davantage la tranquillité.

Au n° 51, tout près de Järntorget, **Den Gyldene Freden** (La Paix dorée) est la plus célèbre taverne de la Vieille Ville. Son nom évoque la paix de Nystad qui, en 1720, marqua la fin des guerres de Charles XII. Ses caves de brique gardent le souvenir d'un célèbre «troubadour» du XVIIIe siècle: Carl Michaël Bellman.

Poursuivez sur Österlånggatan vers le nord, et vous passerez devant une autre statue à la gloire de saint Georges (et du... Dragon!). Et vous verrez sur votre droite de jolies ruelles qui descendent jusqu'au

Stortorget, la grand-place, la plus ancienne de la capitale. Dans la proche Storkyrkan, Saint Georges terrassant le Dragon *par Notke.*

quai de Skeppsbron, avant de regagner Slottsbacken et le Palais royal.

De là, dirigez-vous à l'ouest par Storkyrkobrinken jusqu'à une place appelée Riddarhustorget. C'est là que l'assassin de Gustave III fut flagellé avant d'être décapité ailleurs. Au nord de la place s'élève un édifice classique du XVIIᵉ siècle, le plus beau, peut-être, de la ville, **Riddarhuset** (la maison de la Noblesse). Son architecte, un Français, fut tué au cours d'une rixe – à propos de ses plans –, mais un Allemand, un Hollandais et Jean de la Vallée, le propre fils du défunt, se chargèrent de terminer cet admirable palais de brique rouge et de grès.

Un simple pont relie la minuscule île de la Noblesse – **Riddarholmen** – à la Vieille Ville. La **Riddarholmskyrkan,** une église reconnaissable à sa flèche de fer forgé, s'imposera à votre vue. C'était au XIIIᵉ siècle une abbaye et, depuis

Gamla Stan, romantiquement posée sur l'eau; à droite, Riddarhuset, tout de brique vêtu, et la flèche en fer forgé de Riddarholmskyrkan.

près de 400 ans, des rois de Suède y sont enterrés.

Toujours dans la même île se trouvent un ancien siège du Riksdag, divers palais et, couronnée de cuivre, la tour dite de Birger Jarl, bien qu'elle fût construite par Gustave Vasa au XVIe siècle.

Depuis Riddarholmen, s'offre une **vue** magnifique sur le lac Mälar, sur les hauteurs de Söder (partie sud de Stockholm) et sur Stadshuset, l'hôtel de ville, situé dans Kungsholmen (voir p. 52). On ne saurait donc rêver d'un meilleur endroit pour photographier cet imposant édifice qui semble surgir des eaux du lac Mälar.

Djurgården

Vous sentirez tout de suite pourquoi les Stockholmois adorent Djurgården. Ancienne réserve royale de chasse, cette île immense a conservé sa beauté naturelle. On y trouve des kilomètres de pistes forestières, des chênes remontant à l'époque des Vikings, ici et là de surprenantes statues au milieu de la verdure, des cafés et restaurants en plein air et plusieurs grands musées.

Djurgården est un lieu idéal pour pique-niquer, faire du «jogging», monter à cheval ou simplement goûter une promenade dans un cadre paisible. L'un des sentiers serpente sans jamais s'écarter trop des rives de Djurgårdsbrunnsviken, un ravissant canal qui en rejoint un autre, plus joli encore. En hiver, on marche, on patine, on skie sur les surfaces gelées.

Il y a plusieurs façons d'atteindre l'extrémité ouest de Djurgården, où sont groupés les principaux centres d'intérêt. De Gamla Stan, un petit ferryboat blanc vous déposera dans l'île après une traversée courte et agréable (départ du sud du quai de Skeppsbron). Vous pouvez prendre le tram à Norrmalmstorg. Des bus (n°s 44 et 47) y mènent aussi depuis le centre-ville. Mieux encore, **45** faites le trajet à pied: de Ny-broplan, suivez **Strandvägen,** élégant boulevard longeant les quais, dans le quartier d'Öster-malm.

Vous aurez plaisir à marcher entre deux rangées de tilleuls ou au bord même de l'eau où de vieux schooners sont à l'ancre. Vous gagnerez ainsi Djurgårdsbron (le pont de Djurgården) et, sitôt après l'avoir franchi, vous verrez à droite **Nordiska Museet,** un grand édifice à tourelles (voir p. 58). Juste derrière, voici le **Vasamuseet,** qui présente le plus vieux vaisseau du monde.

C'est là que vous verrez le fameux *Wasa,* ce vaisseau de guerre qui coula dans le port de Stockholm, en 1628, à quel-ques encablures du quai d'où il avait appareillé pour son premier voyage. Il resta au fond de l'eau jusqu'en 1956, date à laquelle un archéologue le dé-couvrit.

Le renflouement du *Wasa* ajoute un exploit presque miraculeux aux annales de la marine. Outre la coque, bien conservée et abondamment décorée, on a retrouvé plus de 24 000 objets dans les flancs du bateau, dont des centaines de sculptures sur bois. Pour ac-complir leur tâche, les plon-geurs ont dû fouiller et cribler les quelque 40 000 mètres cubes

de boue sous lesquels le bâti-ment reposait.

Au cours d'une patiente res-tauration, des experts se sont attelés à une tâche titanesque: celle de rassembler 14 000 éléments récupérés dans les profondeurs de la mer. Entiè-rement reconstitué, le *Wasa* est dorénavant exposé dans une section du musée située sur Galärvarvsvägen. Les vi-siteurs peuvent inspecter le bâ-timent sur sept niveaux et les enfants éprouveront sans doute beaucoup de plaisir à «faire voguer» le navire (grâce à un ordinateur).

Vous verrez également dans les salles d'exposition alentour divers objets provenant de l'épave du *Wasa:* poteries, monnaies, chopes en étain, pi-pes en terre, boulets de canon, vêtements qui recouvraient les squelettes de 18 marins. Parmi les trouvailles les plus curieu-ses: un pot de beurre (rance, bien sûr) et un flacon de rhum encore buvable après 300 ans.

Un film présentant le *Wasa* est projeté toutes les heures. D'autre part, des visites gui-dées sont organisées plusieurs fois par jour.

Plus loin, vous verrez le

Djurgården, une île merveilleuse que se partagent parcs et musées.

Biologiska Museet sur votre gauche. Longez **Djurgårdsvägen** jusqu'au **Liljevalchs Konsthall** qui présente de remarquables expositions de peinture, sculpture et artisanat.

De Wasavarvet, vous n'êtes qu'à quelques pas de **Gröna Lund,** un parc d'attractions aussi divers et animé que Tivoli à Copenhague; il offre également l'attrait d'un théâtre en plein air où se produisent les grands artistes, suédois ou non, du moment.

Tout autour de Gröna Lund, vous remarquerez les rues étroites et les vieilles maisons d'une charmante communauté fondée il y a plus de 200 ans: **Djurgårdsstaden.**

Traversez maintenant Djurgårdsvägen, et vous apercevrez l'entrée de **Skansen,** le musée en plein air le plus célèbre du monde. Merveilleusement situé sur une colline et couvrant 30 hectares, il fut créé par Artur Hazelius en 1891 et a depuis servi de modèle à beaucoup

d'autres. L'idée consistait à reproduire une Suède en miniature, à montrer comment, des fermiers aux aristocrates, les gens vivaient à différentes époques.

Environ 150 bâtiments historiques évoquent ainsi les diverses provinces suédoises, et ce mode de vie, cette culture, que la révolution industrielle devait faire disparaître. On a reconstitué ici des chaumières et des manoirs, des huttes de Lapons, des fermes, avec des vaches, des porcs et d'autres animaux domestiques, des boutiques de village (dont une boulangerie et une ancienne pharmacie). Vous verrez au travail, comme dans l'ancien temps, des orfèvres, relieurs, potiers, souf-

Macabre figure en bois recueillie lors du renflouement du Wasa, ce bâtiment qui coula en 1628. Charmante maisonnette près de Gröna Lund.

fleurs de verre. Vous assisterez peut-être à un mariage à Seglora Kyrka, une église du XVIIIe siècle. (En été, des visites organisées partent toutes les heures de Bollnästorget.)

Au zoo de Skansen, des animaux nordiques – rennes, phoques, loups, cerfs – voisinent avec la faune d'autres contrées. Les enfants ont aussi leur coin, Lill-Skansen, qui regorge de lapins, de chatons, de poussins, de cobayes. Il y a par ailleurs un aquarium, un jardin botanique, des restaurants, des dancings, et l'on peut à tout moment assister à des spectacles en plein air – chants et danses folkloriques, comédies musicales – ou écouter des concerts et du jazz.

Même en y passant une journée entière, vous n'aurez guère le temps de vous ennuyer, et une soirée à Skansen vous réservera d'autres surprises. De la colline, la nuit, la vue sur Stockholm est particulièrement séduisante avec les lumières de la ville se reflétant dans l'eau.

Aux abords de Skansen, prenez l'autobus n° 47 qui vous conduira rapidement sur la rive sud de Djurgården, à **Waldemarsudde,** un domaine légué à la nation par le prince Eugène. Le public peut ainsi non seulement visiter la demeure et la galerie d'art de ce «prince peintre» de Suède (mort en 1947 à 82 ans), mais aussi admirer le parc orné de sculptures et les terrasses fleuries qui descendent jusqu'à un bras de la Baltique.

Waldemarsudde contient une prestigieuse collection de peinture suédoise (principalement des œuvres de la fin du XIXe siècle). Quelque 100 toiles du prince Eugène révèlent que ce collectionneur éclairé était lui-même un paysagiste de valeur.

Enfin, ne quittez pas Djurgården sans visiter **Thielska Galleriet,** une galerie où l'art français et l'art scandinave sont fort bien représentés. Vous noterez une belle sélection de peintures et de gravures du Norvégien Edvard Munch, et vous découvrirez peut-être qu'August Strindberg n'était pas seulement un grand auteur dramatique mais aussi un peintre de talent. La galerie est située au sud-est de l'île, dans une résidence de style Art nouveau *(Jugendstil)* élevée par un banquier. Depuis Waldemarsudde, vous l'atteindrez aisément à pied (ou, depuis le centre-ville, en prenant le bus n° 69 à Norrmalmstorg).

Au Skansen, le folklore est roi, et il se passe toujours quelque chose!

Stadshuset et autres centres d'intérêt

Vous avez déjà découvert et exploré une bonne partie de Stockholm : le centre, la Vieille Ville et Djurgården. Mais il vous reste encore bien des choses à voir. A commencer par **Stadshuset,** l'hôtel de ville, si-tué dans Kungsholmen, une île située à l'ouest du centre-ville. Vous y parviendrez aisément en traversant Stadshusbron de-puis Tegelbacken.

Quand W.B. Yeats vint à Stockholm recevoir, en 1923, le prix Nobel de littérature, il dé-clara que, pour trouver une réalisation qui soit comparable

Le prestigieux Stadshuset, sur les rives du Mälar : une réalisation splendide due aux artistes et aux artisans les plus renommés du pays.

à ce nouvel édifice, il faudrait remonter à l'époque où les villes italiennes baignaient dans l'exaltation de la Renaissance. Mais le grand écrivain irlandais n'est pas le seul à avoir vanté les mérites de Stadshuset. L'édifice se dresse, gracieux et saisissant, au bord du lac Mälar. La conception en revient à Ragnar Östberg, et des artistes venus de toute la Suède ont contribué à la création de cette sorte d'hymne architectural dédié à la ville.

Même en consacrant plusieurs heures à sa visite, vous n'aurez qu'un aperçu de cet hôtel de ville étonnant. Les façades de briques taillées à la main, la tour carrée, les trois couronnes dorées, les colonnes et les arches de granit noir: tout se conjugue harmonieusement pour former un ensemble cohérent, à l'image de la diversité et de l'unité de Stockholm.

Une visite (guidée) vous permettra d'en découvrir l'intérieur: la **salle dorée,** aux saisissantes mosaïques; la salle Bleue (où le rouge domine!), recouverte d'un immense dôme de verre – elle est le cadre des réceptions qui marquent la remise des prix Nobel; et la galerie du Prince, ornée de fresques dues au prince Eugène.

Vous remarquerez, dans les jardins au bord de l'eau, des statues du dramaturge Strindberg, du poète Gustaf Fröding et du peintre Ernst Josephson, œuvres de Carl Eldh. Et, sur une colonne d'une quinzaine de mètres, la statue en bronze d'Engelbrekt – le héros du Moyen Age –, due, elle, à Christian Eriksson. Du haut de la tour de l'hôtel de ville, une **vue** superbe se déploie sur Gamla Stan et tout le centre.

S'étirant à l'ouest de Stadshuset, **Norr Mälarstrand** borde le lac jusqu'au grand Väster-bron (pont de l'ouest). C'est là une belle promenade, bien aménagée, qui est envahie chaque dimanche après-midi de beau temps par la foule des Stockholmois. Vous prendrez plaisir à vous joindre à eux...

Prévoyez, dans votre emploi du temps, de visiter **Millesgården,** qui groupe la demeure, l'atelier et le parc de Carl Milles. Ce grand sculpteur a vécu longtemps à l'étranger, notamment aux Etats-Unis, où il a beaucoup travaillé, mais il aimait revenir dans cette propriété de Lidingö, une île de la banlieue stockholmoise, et il y passa presque tous les étés.

Les jardins en terrasses surplombent une crique de la Bal-

Dominant la Baltique, Millesgården, la résidence, l'atelier et le jardin de Carl Milles: à sculptures merveilleuses, cadre merveilleux.

tique et forment un cadre splendide pour les répliques d'œuvres de Milles parmi les plus célèbres, comme *L'Homme et Pégase, Europe et le Taureau* ou la saisissante *Main de Dieu*. Mais l'artiste y a aussi rassemblé une importante collection de sculptures, en particulier grecques et romaines.

Millesgården en soi une œuvre d'art, la création d'un homme qui vénérait la beauté. Des bouleaux argentés et des pins se mêlent aux statues et aux fontaines, des parterres de roses et des urnes fleuries aux colonnes de marbre et aux marches de pierre. Carl Milles (1875–1955) et sa femme sont enterrés dans une petite chapelle au milieu du jardin. Pour vous rendre à Millesgården, prenez le métro de Ropsten à Torsvik, ou le bus 201, 202, 204, 205, 206 ou 212.

S'il vous reste du temps, ne manquez pas **Söder,** la grande île dans le sud de Stockholm. Avec ses falaises plongeant dans la Baltique et le lac Mälar, c'est là une vision qui tranche sur toutes les autres: imaginez des groupes de maisons couleur rouille, des ateliers d'artistes, une atmosphère à la fois montmartroise et campagnarde.

Partez du carrefour animé de Slussen, où un échangeur s'enlève au-dessus d'un étroit canal reliant le lac et la mer. Vous y verrez, en été, de nombreux bateaux de plaisance, attendant que les écluses leur livrent passage.

Arrêtez-vous au **Stadsmuseum,** ou Musée municipal (voir p. 61), l'un des principaux centres d'intérêt de la capitale, puis prenez **Katarinahissen,** un ascenseur public qui vous déposera au faîte d'un très haut édifice d'où la vue sur la Vieille Ville est exceptionnelle. Une passerelle conduit, de là, à une colline voisine, dans un quartier de vieilles maisons où se cachent de jolies cours, très caractéristiques de Söder.

Dirigez-vous maintenant vers **Fjällgatan,** à l'est du quartier de Katarina. La plupart des visites organisées en autocar marquent un arrêt dans cette rue perchée au bord d'une falaise qui domine la Baltique, permettant d'avoir un superbe coup d'œil sur la ville. Non loin de là, Sofia Kyrka (église Sainte-Sophie) se dresse au milieu de maisons rustiques.

Plus pittoresques encore sont les maisons de Mariaberget, une colline à l'ouest de Slussen. Et des hauteurs de **Skinnarviksberget** s'offre à vous un panorama prodigieux, une fois encore, avec Stadshuset et le lac Mälar.

55

Les musées

Nous avons déjà présenté Skansen, Wasavarvet et Millesgården. Voici maintenant une description d'autres musées importants et de quelques institutions d'intérêt particulier.

Les cinq grands

Nationalmuseum (musée national des Beaux-Arts), l'un des plus anciens du monde, a ouvert ses portes en 1794. Il occupait alors une aile du Palais royal. C'est en 1866 qu'il fut transféré dans l'édifice actuel, de style Renaissance italienne.

Sa collection n'est pas seulement impressionnante par son volume. Elle compte aussi dix Rembrandt et des œuvres majeures de Rubens, du Gréco, de Bruegel; un beau choix de toiles de Chardin, Courbet, Cézanne, Gauguin, Renoir et Manet; et des peintures d'artistes suédois comme Carl Larsson, Bruno Liljefors (connu pour ses vivantes études de la nature), Anders Zorn (avec sa merveilleuse évocation de la *Danse de la Saint-Jean,* dans la province de Dalécarlie), Alexander Roslin (1718–1793), avec sa *Dame au Voile*. Dans la salle de peinture française, *Le Triomphe de Vénus* est considéré comme le chef-d'œuvre de François Boucher.

En d'autres salles sont exposées des gravures, des eaux-fortes, des miniatures, plus de 200 icônes russes et une collection d'objets artisanaux.

Moderna Museet, le stimulant musée d'Art moderne, reflète au mieux les tendances artistiques contemporaines d'Europe et des Etats-Unis (y compris l'op'art, le pop'art et autres «happenings»). Sa vaste collection consacrée à l'art du XXe siècle comporte des toiles de Matisse, Braque, Léger, Modigliani, Paul Klee, Rauschenberg, aussi bien que de peintres suédois de premier ordre comme Isaac Grünewald et Bror Hjorth.

Certaines œuvres ont été offertes au musée par les artistes eux-mêmes: ainsi, *Le Paradis,* étonnant groupe d'«art cinétique» dû à Jean Tinguely et à Niki de Saint-Phalle. Chaque jour, mues par l'électricité, les figures agressivement masculines créées par Tinguely attaquent les gigantesques stylisa-

Tradition oblige, les vieux maîtres sont présents au Nationalmuseum. Et les phantasmes de Picasso hantent les jardins du Moderna Museet.

tions de femmes réalisées par Niki de Saint-Phalle.

Le musée vous propose aussi des concerts, des films, des pièces de théâtre et (dans la galerie ouest) les intéressantes expositions (temporaires) du **musée de la Photographie.**

Östasiatiska Museet. Ce musée de l'Extrême-Orient abrite d'immenses collections d'art du Japon, de Corée, d'Inde et de Chine – depuis l'âge de la pierre jusqu'au XIXe siècle. Celle des antiquités chinoises, en particulier, est considérée comme la plus belle du monde hors de Chine. Elle comporte 1800 objets légués au musée par le roi Gustave VI Adolphe, grand archéologue, collectionneur et spécialiste qui faisait autorité en la matière.

Vous remarquerez tout particulièrement des poteries datant d'environ 2000 ans av. J.-C.; une tombe chinoise reconstituée, avec des urnes et des têtes de haches groupées autour d'un squelette; des céramiques de la dynastie Ming (1368–1644) et une série de superbes vases sacrificiels en bronze.

Nordiska Museet (Musée nordique), fut fondé par Artur Hazelius, le créateur de Skan-

sen. A l'entrée, vous admirerez une œuvre de Carl Milles: l'énorme statue en chêne de Gustave Vasa, le père de la Suède moderne.

Pour illustrer la vie scandinave depuis le XVIe siècle jusqu'à nos jours, plus d'un million d'objets s'offrent à votre curiosité. Vous saurez ainsi comment les gens de la haute société suédoise dressaient leur table à différentes époques; de quels mets et de quels vins ils la garnissaient; comment s'habillaient les paysans dans la première moitié du XIXe; comment vivent les Lapons. Une section consacrée à l'art populaire nordique expose des peintures murales suédoises, des tapisseries norvégiennes, des récipients à boire finlandais, de la broderie danoise.

Historiska Museet (Musée historique). Ici, dix mille ans d'histoire sont évoqués, et avec quelle éloquence! Avant toute chose, arrêtez-vous devant l'entrée principale: ses «portes de l'histoire», avec leur multitude de figures allégoriques et historiques en bronze, sont l'œuvre du Suédois Bror Marklund.

Le musée comportant plus de trente salles, vous feriez bien de vous procurer le plan mis à la disposition des visiteurs.

Au rez-de-chaussée : des objets fabriqués par les premiers habitants de la Suède aux temps mésolithiques et néolithiques ; une ample collection d'objets en or et en argent de la période viking, des armes et des pierres gravées provenant de l'île de Gotland. Le trésor de Wendel, d'une époque encore plus reculée, vient d'un étonnant site funéraire où des bateaux, garnis d'armes et d'objets usuels, servaient de tombes.

Au premier étage, de magnifiques exemples d'art religieux médiéval : crucifix de bois inspirés de l'art byzantin, autels splendidement peints et sculptés, fonts baptismaux, riches tentures, calices d'or, croix de processions. L'une des salles est la reconstitution d'une église villageoise typique du Moyen Age.

Au deuxième étage, **Kungliga Myntkabinettet** (Cabinet royal des monnaies) contient une exceptionnelle collection de médailles (du XVe siècle à nos jours) et environ 400 000 pièces de monnaie (dont certaines remontent à 650 av. J.-C.), le tout provenant du monde entier.

Carl Larsson, l'un des grands noms de la peinture suédoise, fut (aussi) le chantre de l'enfance.

Le Musée nordique aux allures de castel illustre maints aspects de la vie du pays à partir du XVIe.

Autres musées intéressants

Armémuseum (musée de l'Armée). Cette intéressante évocation militaire, allant du XVIe siècle à l'époque contemporaine, renferme toutes les armes imaginables – de l'épée aux pièces d'artillerie –, des uniformes, des trophées, des drapeaux, des fifres et tambours, des maquettes de fortifications du XVIIe siècle. On ne peut mieux illustrer le fait que la Suède pacifique (elle n'a participé à aucun conflit depuis 1814) fut à certaines époques une puissance redoutable...

Biologiska Museet. Créé en 1893 par deux hommes de grand talent, le taxidermiste Gustaf Kolthoff et le peintre Bruno Liljefors, cet admirable musée d'histoire naturelle aurait inspiré bien des institutions du même genre de par le monde.

Enfants et adultes prendront plaisir à admirer 300 espèces d'animaux nordiques, évidemment empaillés, mais qui paraissent étonnamment vivants dans le cadre aménagé pour eux: ours polaires, phoques, élans, lièvres des montagnes, loups de l'Arctique, chouettes épervières, aigles à queue blanche, mouettes argentées et, nichés sur des falaises, des piverts bigarrés et des guillemots.

Medeltidsmuseet (Musée médiéval). Le plus récent musée de Stockholm est situé sous la cour du Parlement. On peut y voir les restes de fortifications du XIIIe siècle et un fragment du mur d'enceinte du XVIe siècle, découvert lors de la construction d'un parking souterrain.

Postmuseet (musée de la Poste). Vous y suivrez toute l'évolution du service postal dans le pays, des origines à nos jours. La section philatélique contient l'une des plus vastes collections de timbres qu'on puisse voir au monde. Parmi les exemplaires rarissimes : deux timbres de l'île Maurice datant de 1847 et le premier timbre britannique, oblitéré le jour même de son émission, le 6 mai 1840.

Sjöhistoriska Museet (musée de la Marine). L'architecte de l'hôtel de ville, Ragnar Östberg, a conçu ce musée qui présente la marine militaire et marchande de la Suède. Principale attraction : la poupe de la goélette *Amphion* qui, sous Gustave III, remporta une très grande victoire sur les Russes en 1790.

Stockholms Stadsmuseum (Musée municipal). Il a trouvé l'emplacement qui lui convenait dans l'ancien hôtel de ville, construit au XVIIᵉ siècle, et il couvre toute l'histoire de Stockholm. Vous y verrez une belle maquette du château des Tre Kronor, des tableaux représentant la ville à diverses époques, des sculptures provenant de façades de maisons démolies **61**

et des objets retrouvés lors de fouilles. Les enfants peuvent se livrer à des jeux ou à des activités créatrices, et un charmant café du XIXᵉ siècle vous invite à vous restaurer.

Strindbergsmuseet (musée A. Strindberg). Dédié à la mémoire du célèbre dramaturge suédois, August Strindberg. L'appartement dans lequel il passa les dernières années de sa vie (il mourut en 1912) a été reconstitué avec l'ameublement authentique; on y voit sa table de travail. Les trois salles voisines exposent ses manuscrits, ses lettres, les photos d'acteurs et d'actrices qui jouèrent ses pièces, etc. Figure de proue du théâtre scandinave avec Ibsen, Strindberg devait préfigurer par son œuvre les hardiesses du théâtre contemporain.

Tekniska Museet (musée des Sciences et Techniques). L'évolution, à travers les âges, de la science et de la technologie en Suède est si bien présentée dans ce musée que tous les membres de la famille en tireront plaisir et profit. Deux attractions: la reconstitution d'une mine de fer, au sous-sol, et une exposition sur les inventions de Christopher Polhem (1661–1751), génie de la mécanique et de la science appliquée, surnommé le «père de la technologie suédoise».

Tout sur les musées...
Voici la liste des principaux musées avec, pour chacun, adresse, moyens de transport et heures d'ouverture – le tout restant sujet à changement!
Armémuseum, Riddargatan 13. Métro jusqu'à Östermalmstorg. Ouvert de 11 h à 16 h tous les jours.
Biologiska Museet, Djurgården. Bus nᵒ 44 ou 47. Ouvert de 10 h à 16 h d'avril à septembre, jusqu'à 15 h d'octobre à mars.
Historiska Museet, Narvavägen 13–17. Métro jusqu'à Karlaplan. Bus nᵒˢ 44, 47 ou 69. Ouvert de 12 h à 17 h du mardi au dimanche, jusqu'à 21 h le mercredi lorsqu'il y a des expositions temporaires.
Moderna Museet, Skeppsholmen. Mêmes bus que pour le Nationalmuseum (voir ci-dessous), puis gagner à pied l'île de Skeppsholmen. Ouvert de 11 h à 21 h mardi et jeudi, et jusqu'à 17 h mercredi, vendredi et le weekend. Fermé le lundi.
Nationalmuseum, Södra Blasieholmen. Bus nᵒˢ 43, 46, 55 ou 62 jusqu'à Karl XII:s Torg. Ouvert de 10 h à 16 h tous les jours, jusqu'à 21 h le mardi. Fermé le lundi.

Nordiska Museet, Djurgården. Bus n° 44 ou 47. Ouvert de 10 h à 16 h du lundi au vendredi (sauf en hiver), de midi à 17 h le week-end.

Östasiatiska Museet, dans Skeppsholmen. Mêmes bus que pour le Nationalmuseum. Ouvert de midi à 16 h du mercredi au dimanche, de midi à 21 h le mardi. Fermé le lundi.

Postmuseum, Lilla Nygatan 6, dans la Vieille Ville. Bus n° 48 ou 53 ou métro pour Gamla Stan. Ouvert de 12 à 15 h du lundi au samedi, jusqu'à 16 h le dimanche. En hiver, ouvert le jeudi soir de 19 h à 21 h.

Sjöhistoriska Museet, Djurgårdsbrunnsvägen. Bus n° 69 à partir de Norrmalmstorg. Ouvert tous les jours de 10 h à 17 h. En hiver réouverture le mardi de 18 h à 20 h 30.

Stockholms Stadsmuseum, Slussen. Métro ou bus n°s 43, 46, 48, 53, 55, 59. Ouvert de 11 h à 19 h du mardi au jeudi, et de 11 h à 17 h du vendredi au lundi.

Strindbergsmuseet, Drottninggatan 85. Métro jusqu'à Rådmansgatan. Ouvert de 10 h à 16 h du mardi au samedi, de midi à 17 h le dimanche. Réouverture le mardi de 19 h à 21 h. Fermé le lundi.

Tekniska Museet, Museivägen 7. Bus n° 69 à partir de Norrmalmstorg. Ouvert de 10 h à 16 h en semaine, de midi à 16 h le week-end.

Excursions

Les environs de Stockholm n'ont rien à envier, question beauté, à la ville elle-même. A l'est, l'archipel. A l'ouest, le lac Mälar, avec cent villes et cent châteaux. Au sud, la province de Södermanland, parsemée de petits lacs, d'églises et de belles demeures. Au nord, l'Uppland, une province d'un intérêt historique considérable, avec ses centaines de pierres runiques datant des Vikings. L'idéal serait de consacrer plusieurs jours à ces régions.

Tout l'été, vous aurez le choix entre de nombreuses excursions en bateau – vieux vapeurs, pleins de charme, ou vedettes modernes et rapides. Pour les îles de la Baltique, départ à Strömkajen ou à Norra Blasieholmshamnen, à proximité du Grand Hôtel. Pour le lac Mälar, départ de Stadshusbron, le pont situé près de l'hôtel de ville.

Si vous préférez le train ou l'autocar, il existe toute une gamme d'excursions, certaines incluant une nuit à l'hôtel. Le service d'information de Stockholm vous donnera tous les renseignements détaillés dont vous pourriez avoir besoin (voir p. 120). **63**

L'archipel de Stockholm

Les Suédois l'appellent Skärgården, c'est-à-dire «le jardin d'écueils»... Il n'existe vraiment rien au monde de comparable à ce déploiement: quelque 24 000 îles et îlots rocheux, émiettés sur 50 kilomètres dans la Baltique.

L'archipel servait autrefois de repaire aux pirates et aux contrebandiers. Plus tard, des pêcheurs y construisirent des cabanes. Enfin, des familles nobles établirent de grands domaines sur plusieurs îles.

A notre siècle, les îles sont le refuge favori des habitants de Stockholm. Beaucoup y ont une maison de campagne où ils passent les week-ends et les vacances. Ils font de la voile, pêchent, nagent et se dorent au soleil sur les rochers.

On peut diviser l'archipel en trois parties distinctes et bien caractérisées. La plus proche des côtes suédoises se compose d'assez grandes îles couvertes de forêts et de terres cultivées. Le secteur médian comporte à la fois de grandes et de petites îles, séparées par un labyrinthe d'étroits bras de mer; les forêts y alternent avec des champs de fleurs sauvages. Les îles les plus éloignées, pratiquement inhabitées, offrent un paysage rocheux et désolé.

Voici quels sont les principaux buts d'excursions:

Vaxholm se situe à moins d'une heure de bateau. Cette petite ville de garnison au bord de l'eau, mérite une visite pour sa **forteresse** du XVIe siècle, qui, si elle n'a plus pour fonction de protéger l'île, abrite un musée (ouvert l'après-midi, en été).

L'une des nombreuses promenades possibles vous mènera jusqu'au port nord. Arrêtez-vous au musée de Norrhamnen, logé dans deux vieilles maisons de pêcheurs, qui présente tous les objets usuels des gens de mer, avant d'observer les bateaux à voile et à moteur qui, toute la journée, en route vers des îles plus lointaines, franchissent l'étroit chenal.

Le port minuscule de **Sandhamn**, à la limite externe de l'archipel, est accessible en deux heures en vedette rapide ou en trois heures et demie par vapeur (avec restaurant à bord). Un bien agréable trajet qui vous permettra d'avoir un aperçu des divers éléments qui donnent son aspect saisissant à ce monde insulaire.

Important centre de pilotage dès la fin du XVIIe siècle, Sandhamn est aujourd'hui le

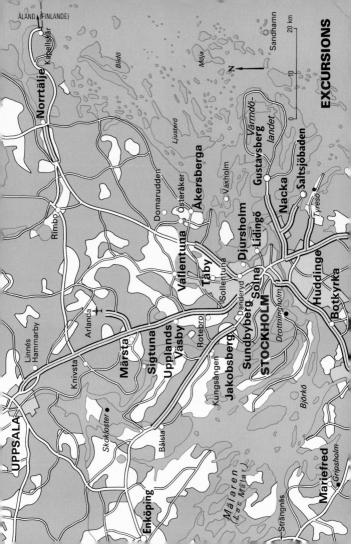

ÅLAND (FINLANDE)

EXCURSIONS

Kapellskär

Norrtälje

Bildö

Möja

Sandhamn

20 km

N

10

Ljusterö

Rimbo

Domarudden

Åkersberga

Österåker

Värmdö-
landet

Gustavsberg

Nacka

Saltsjöbaden

Vaxholm

Djursholm

Lidingö

Solna

Tyresö

Vallentua

Täby

Sollentuna

Danderyd

STOCKHOLM

Sundbyberg

Huddinge

Botkyrka

Linnés
Hammarby

Arlanda

Märsta

Sigtuna

Upplands
Väsby

Rotebro

Jakobsberg

Drottningholm

Knivsta

Kungsängen

UPPSALA

Skokloster

Bålsta

Björkö

Mälaren
(Lac Mälar)

Mariefred

Gripsholm

Enköping

Strängnäs

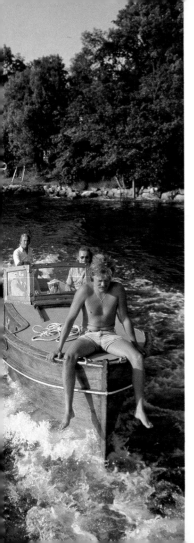

siège de l'élégant Yacht Club royal de Suède. Une centaine d'habitants seulement vivent tout au long de l'année dans ce charmant village. Mais la population s'accroît l'été avec l'afflux des amateurs de yachting, des touristes et des Stockholmois qui ont une résidence secondaire dans l'île. Vous trouverez à Sandhamn plusieurs hôtels, une vieille auberge, un restaurant avec dancing. Des régates internationales s'y déroulent en juillet.

A moins d'une demi-heure en train à partir de Slussen, **Saltsjöbaden** est à la fois une banlieue chic et une station balnéaire riante, située à la limite de l'archipel. Le Grand Hôtel Saltsjöbaden est au cœur de la vie locale; à vous la voile, la natation, le tennis, l'équitation ou le golf.

Le **château de Tyresö** est situé dans une crique au sud-est de Stockholm (à 45 minutes en car de Skanstull). Cette splendide demeure du XVIIe siècle appartint jadis à Gabriel Oxenstierna, un des nobles les plus influents de son temps. Le public peut aujourd'hui visiter son château, transformé en musée. Vous y admirerez meubles et peintures.

Autre suggestion: pourquoi ne pas aller faire un tour dans un autre pays? **Mariehamn,** capitale des îles d'Åland – un archipel qui s'étend sur 10 000 km² – se trouve à peu près à mi-chemin entre la Suède et la Finlande. Cette province finlandaise, qui est territoire autonome, compte 20 000 habitants, en majorité de langue suédoise.

Avec l'excursion de la journée, le bateau quitte Stockholm le matin, s'arrête deux ou trois heures à Mariehamn et rentre dans la soirée. Une autre excursion, de vingt-quatre heures celle-ci, vous permettra de dormir à bord ou dans un hôtel de Mariehamn (où les restaurants sont par ailleurs excellents).

Notez que toutes les croisières comportent un somptueux *smörgåsbord*. Chaque bateau possède bars, dancings, night-clubs avec attractions; à bord, les alcools sont détaxés et donc très bon marché. Le grand plaisir reste, cependant, de sillonner ce merveilleux archipel.

Faire du bateau, c'est l'un des passe-temps préférés aux alentours de Stockholm. Alors, si vous voulez partir pour quelque île oubliée...

Le lac Mälar

C'est, par la superficie, le troisième lac de Suède. Il s'étend sur plus de 100 kilomètres, à l'ouest de la ville. La région du lac Mälar est appelée à juste titre le berceau de la civilisation suédoise. Depuis la capitale, il est relativement facile d'atteindre les grands centres historiques, en auto, en train ou en bateau.

Le lac est constellé de 300 îles. Visiter **Björko** – site de l'ancienne ville fortifiée de Birka, où Anschaire vint, en 830, évangéliser le pays et bâtir une église – serait un bon prélude. De cette cité jadis florissante (le vieux centre d'échanges commerciaux en Suède), il reste des vestiges de fortifications, près de 3000 tombeaux vikings... et un cadre plaisant pour se détendre une partie de la journée. Il faut deux heures pour atteindre Björko – l'île des bouleaux – en bateau (attention : le service est suspendu durant la mauvaise saison).

Ce que vous ne devriez manquer à aucun prix, c'est la visite du **château de Drottningholm,** situé lui aussi sur une petite île du lac Mälar. On peut s'y rendre en bateau ou prendre le métro jusqu'à Brommaplan, puis le bus marqué «Mälarö».

Construit à la fin du XVIIe siècle, ce «Versailles suédois» est devenu la résidence de la famille royale. Ses magnifiques et vastes jardins sont ornés de statues et de fontaines. Plusieurs sections de ce château, somptueusement décoré de tapisseries et d'œuvres d'art, peuvent être visitées.

Ouvert tous les jours de mai à août de 11 h à 16 h 30 (de midi à 16 h 30 le dimanche) et de 13 h à 15 h 30 pendant le mois de septembre.

Le château de Gripsholm, élevé au XVIᵉ siècle par l'illustre Gustav Vasa, constitue l'attraction des attractions sur les bords du Mälar.

Vous serez charmé par le **Pavillon chinois** *(Kina slott),* un amusant mélange de styles rococo et chinois. Il date de 1760 et fut offert à la reine Lovisa Ulrika.

Attenant au château, le **théâtre de Drottningholm** – l'un des plus célèbres du monde – marquera le grand moment de votre visite. Entièrement restauré, ce théâtre du XVIIIᵉ siècle est unique en ce sens que sa machinerie et 30 décors d'origine sont en parfait état et encore utilisés aujourd'hui. L'éclairage aux chandelles a été remplacé par l'électricité; sinon, rien n'a changé depuis que Gustave III, **69** l'esthète, le roi-mécène, venait ici assister à des représentations d'opéras.

Pendant les mois d'été, on y donne des opéras de Haendel, de Gluck, de Mozart et des spectacles de ballet. Les musiciens sont vêtus de costumes d'époque et portent des perruques poudrées. Vous aurez l'impression d'être convié à quelque divertissement royal d'il y a deux siècles...

Avant ou après le spectacle, ne manquez pas d'aller voir les salles d'exposition qui constituent un véritable musée du théâtre. Parmi les maquettes de costumes et de décors, des documents rares des XVIe, XVIIe et XVIIIe siècles, d'origine française et italienne, ainsi que des esquisses originales dues au décorateur attitré de Gustave III.

Pour aller au **château de Gripsholm** – autre but de promenade particulièrement attirant dans la région du lac Mälar –, prévoyez une grande journée. On y accède en une heure et demie de train (jusqu'à Läggesta, plus un court trajet en autobus). Par bateau, vous mettrez trois heures et demie, mais vous ne regretterez pas la mémorable traversée sur le vapeur *Mariefred,* qui assure ce parcours depuis 1903. Un bon repas vous sera servi à bord, et

de magnifiques paysages défileront devant vos yeux.

Quand vous verrez apparaître la masse trapue et la haute tour de Gripsholm, ce sera comme un décor de théâtre se réflétant dans l'eau. Il existait déjà un château à cet emplacement dans les années 1300, mais celui que vous admirerez a été construit par Gustave Vasa, au XVIe siècle, puis agrandi et modifié par presque tous les souverains suédois qui lui ont succédé. A une époque, il servit de prison d'Etat: c'est dans sa tour que fut enfermé le roi Erik XIV.

Le château est aujourd'hui un musée qui contient l'une des plus vastes collections de portraits historiques qui soient. Ne manquez pas le théâtre, construit (comme celui de Drottningholm) par Gustave III, et, dans la cour extérieure, les deux canons de bronze du XVIe siècle, arrachés aux Russes durant quelque bataille.

Ouvert tous les jours de 10 h à 16 h de mai à août, sauf à la Pentecôte et le samedi situé entre le 20 et le 26 juin. Pour le reste de l'année, informez-vous à l'Office du tourisme.

Tout près, **Mariefred** (où s'arrête le bateau qui dessert Gripsholm) est un joli village. Ses maisons rouges et jaunes à colombages sont agrémentées de charmants jardins ; leurs façades s'alignent le long de ruelles et autour d'une place aux pavés arrondis. A voir : une église blanche de style baroque et un hôtel de ville du XVIIIe siècle.

Ne quittez pas Mariefred sans emprunter la ligne de chemin de fer **Östra Södermanlands Järnväg.** Un petit train – véritable musée roulant, avec sa vieille loco à vapeur et ses wagons d'époque – parcourt les 4 kilomètres qui séparent Mariefred de Läggesta à la vitesse maximale de 11 km à l'heure. Un voyage d'une délicieuse lenteur ! La ligne date de 1895, et un groupe local attaché à cette vénérable institution la maintient en état.

C'est ici que vous prendrez votre billet avant de monter à bord du petit tortillard à vapeur de Mariefred pour un voyage nostalgique.

Au nord, vers Uppsala

Sur la rive nord du Mälar, dans la province d'Uppland, trois étapes d'un grand intérêt vous attendent : Sigtuna, le château de Skokloster et Uppsala (qu'un petit canal relie au lac). Les trois sont accessibles par train, par car ou par bateau.

Première étape depuis Stockholm : **Sigtuna.** En voiture, vous y serez en 45 minutes. Si vous prenez le train à la Gare centrale, vous descendrez à Märsta et continuerez en autobus.

La plus ancienne cité suédoise fut fondée au début du XIe siècle par Olof Skötkonung, le premier roi chrétien de la Suède, qui donna ainsi une capitale au pays. Centre religieux

Sigtuna, la cité la plus ancienne de la Suède : un cachet inimitable.

(avant d'être supplanté par Uppsala), port commercial actif, Sigtuna devait subir bien des désastres. Des pirates estoniens l'incendièrent, et la ville renaissait à peine de ses cendres que Gustave Vasa, acquis aux idées de la Réforme, fit fermer ses monastères. Les moines partis, Sigtuna retomba dans la grisaille de l'anonymat.

Aujourd'hui, outre son cadre enchanteur au bord du Mälar, la ville offre les ruines de quatre églises bâties entre 1060 et 1130. Mariakyrkan (église Sainte-Marie), abbatiale du XIIIe siècle, conserve assez de beaux vestiges pour témoigner d'un passé glorieux. Si vous vous promenez le long de Storgatan – dont on dit qu'elle est la plus vieille rue de Suède –, vous verrez un curieux hôtel de ville (de 1744) aux allures de jouet. Vous verrez également de nombreuses pierres runiques d'époque Viking, et le musée Fornhemmet avec ses intéressantes trouvailles archéologiques. La maison Lundström, elle, bel exemple de l'architecture de la fin du siècle dernier, abrite un mobilier de la même époque.

Une importante institution religieuse, la Fondation Sigtuna, a redonné vie à cette ancienne cité. Elle accueille des universitaires, des historiens, des écrivains, venus là mettre la dernière main à leurs travaux, leur offrant des chambres qui donnent sur un cloître et des parterres de roses.

Le **château de Skokloster** – à peu près à mi-chemin entre Sigtuna et Uppsala – est un magnifique édifice baroque dominant une baie ravissante du lac Mälar. Il fut bâti par Carl Gustaf Wrangel, général suédois qui combattit sous Gustave Adolphe, durant la guerre de Trente Ans.

Les 100 immenses salles du château abritent de fabuleux trésors, surtout du XVIIe siècle; la Suède était alors une puissance redoutable et redoutée.

Les tapisseries, le mobilier baroque, l'argenterie, la verrerie, le millier de tableaux, les 20 000 livres et manuscrits rares, proviennent de butins pour la plupart. Enfin, la collection d'armes, l'une des plus riches du monde, réunit aussi bien des arbalètes qu'une étrange série d'épées de bourreaux, et un fusil long de 2,5 m ayant appartenu à la reine Christine.

De mai à septembre, des visites organisées ont lieu tous les jours entre 11 h et 16 h.

Dans le vaste domaine de Skokloster, vous trouverez un restaurant aménagé dans une ancienne écurie, un hôtel moderne... et un **Motor Museum,** 73 qui présente de superbes vieilles voitures : Renault de 1899, Austin de 1911, entre autres, ainsi que des moteurs «antédiluviens».

Le Motor Museum est ouvert tous les jours de 11 h à 16 h, et ceci toute l'année. Avis aux amateurs !

A **Uppsala** (ou Upsal, en

Uppsala dans le miroir des eaux. Ville d'université, elle est aussi ville de religion, serrée autour des flèches de sa cathédrale.

français), centre religieux et culturel héritier d'une longue tradition, l'histoire vous assaille à chaque pas. Siège de l'archevêché de l'Église suédoise, Uppsala peut s'enorgueillir d'une université qui compte parmi les plus célèbres du monde et qui a fêté son 500e anniversaire en 1977. Cette ville de 150 000 habitants se trouve à 73 km au nord de Stockholm. On peut l'atteindre en une heure par le train depuis Centralstationen (Gare centrale).

Pour définir en quelques traits cette cité, disons que la rivière Fyrisån la traverse de ses méandres, qu'une patine verte recouvre les statues du campus de l'Université, que de belles fleurs rares s'épanouissent dans les jardins du musée Linné et que les vieilles maisons en bois forment un contraste avec les nouveaux bâtiments de verre et d'acier. Mais, plus que tout le reste, ce sont les deux flèches de la cathédrale et les tours rondes du château, édifices plusieurs fois centenaires, qui ont modelé les horizons uppsaliens.

Commençons donc par **Domkyrka,** cathédrale du XIIIe siècle située sur le campus de l'Université, imposante avec ses deux flèches s'élançant à 120 m du sol; sa construction ne fut achevée qu'au bout de 150 ans. Plusieurs personnages illustres sont enterrés ici : Gustave Vasa (et ses trois épouses); Emanuel Swedenborg, savant et philosophe mystique; Carl von Linné, le botaniste. Et une châsse contient les reliques de saint Erik, roi et martyr, qui mourut à Uppsala en 1160. Les monuments funéraires, les tapisseries, les objets d'or et d'argent ont une valeur à la fois historique et artistique.

Arrêtez-vous pour admirer, non loin, les fresques médiévales de l'**église de la Trinité** *(Helga Trefaldighetskyrkan),* avant de vous rendre au château, le rouge **Uppsala Slott,** qui, de sa colline, domine la ville. Gustave Vasa en entreprit la construction vers 1540. Ayant rompu avec le pape, il entendait faire du château le symbole de la puissance royale. C'est pourquoi les canons sont pointés vers la résidence de l'archevêque...

L'Uppsala Slott a vu se dérouler des fêtes fastueuses de couronnement et bien des événements dramatiques : Gustave II Adolphe y décida l'entrée de la Suède dans la guerre de Trente Ans, et la reine Christine sa renonciation à la couronne (en 1654) et son départ pour Rome.

Aujourd'hui, le château sert **75**

de résidence au gouverneur de la province (Dag Hammarskjöld, l'ancien secrétaire général de l'ONU, y vécut, enfant, alors que son père occupait ce poste) et de cadre à des cérémonies officielles.

Carolina Rediviva, dont la fondation remonte à Gustave II Adolphe, est le bâtiment le plus remarquable de l'Université. Il abrite la plus riche et la plus ancienne bibliothèque de Suède : quelque deux millions de livres et un demi-million de manuscrits, certains du Moyen Age. Parmi les documents les plus rares, le **Codex Argenteus** (bible d'argent), écrit au VIe siècle en lettres d'argent et en majuscules d'or sur du parchemin pourpre.

Entrez au **Gustavianum,** autre bâtiment universitaire, pour y admirer le curieux amphithéâtre d'anatomie, de forme octogonale, surmonté d'une coupole, qui fut construit en 1662 par Olof Rudbeck. Pour enseigner la médecine, ce brillant professeur et savant procédait là à des dissections en public. Le Gustavianum abrite également les collections du musée Victoria d'Egyptologie.

Nombre de visiteurs ne viennent à Uppsala que pour visiter les lieux où plane encore le souvenir du grand Linné, reconnu comme «le père de la botanique moderne». Il entra à l'Université en 1728 comme étudiant en médecine et fut, au bout de deux ans, nommé maître de conférences en botanique. En 1741, il était professeur de médecine. Sa vie durant, «le roi des Fleurs», classa, décrivit et «baptisa» environ 10 000 espèces de plantes.

Vous en verrez 1300, disposées et classées exactement comme du temps de Linné, à **Linnéträdgården.** Dans ces jardins, la maison du savant est devenue un musée ouvert au public (Svartbäcksgatan 27).

Pendant les mois d'été, des botanistes organisent des promenades le long de sentiers qu'emprunta Linné dans les forêts qui entourent Uppsala. Vous pourrez également visiter (à 13 km d'Uppsala) **Hammarby,** la retraite estivale où Linné recevait des centaines d'étudiants venus du monde entier. On dit que le jardin contient des espèces plantées par lui-même. Pour ces promenades et visites, adressez-vous à l'Office du Tourisme d'Uppsala, au Stadshuset.

Le puissant château d'Uppsala fut le témoin d'une histoire agitée, et ses canons demeurent pointés...

Enfin, vous ne devriez pas manquer de faire une excursion à **Gamla Uppsala** (l'ancien Uppsala): du centre de la ville, un service de bus effectue ce trajet de 3 kilomètres. Vous y découvrirez les ruines d'un temple païen et trois grands tumuli royaux (Kungshögarna) du VIe siècle, qui contiendraient les dépouilles de rois mentionnés dans *Beowulf,* vaste épopée née au VIe, achevée au Xe siècle.

Une église médiévale s'élève sur les vestiges du temple païen

où des animaux et même des hommes étaient sacrifiés en l'honneur des dieux. Tout près: un intéressant musée en plein air – Disagården – et l'auberge d'Odinsburg, où vous boirez de l'hydromel *(mjöd)* dans des cornes vikings...

Bien qu'Uppsala soit un lieu plutôt paisible, l'excitation se déchaîne lors de la nuit de Walpurgis, fête traditionnelle mi-païenne, mi-chrétienne qui a lieu le dernier jour d'avril. Les festivités commencent

L'arrangement (par espèces) du Linnéträdgården n'a pas changé depuis l'époque du «roi des Fleurs»: des heures passionnantes en perspective.

l'après-midi quand les étudiants se rassemblent devant Carolina Rediviva et, au signal du recteur de l'Université, poussent des hourras et coiffent leur casquette blanche. A la tombée de la nuit, professeurs et élèves gravissent en procession, à la lueur des torches, la colline du château, brandissant les bannières des «nations» (les clubs estudiantins représentent les différentes provinces suédoises). Parvenus en haut de la colline, ils entonnent des chants célébrant leur pays et la venue du printemps. Les réjouissances se poursuivent jusqu'à l'aube dans les clubs d'étudiants.

Que faire

Les achats

A Stockholm, vous pénétrerez avec délice dans le monde merveilleux du *design*. Ce que l'on trouve de mieux en matière d'arts appliqués et d'artisanat – en particulier la verrerie, la céramique, l'argenterie, les couverts en inox, les tissus et les meubles. La grande réputation de la Suède en ce domaine repose sur une solide tradition de culture artisanale, transmise d'âge en âge.

La plupart des touristes, quand ils pratiquent le lèche-vitrines, cherchent de petits objets à rapporter en souvenir ou en cadeau. Il faut aussi, généralement, que ces objets soient légers et pas trop chers. Ce sont là des exigences difficiles à concilier, mais votre quête n'en sera que plus excitante. (Dans boutiques et magasins, on parle l'anglais mais très rarement le français.)

Heures d'ouverture
La plupart des magasins ouvrent de 9 h à 18 h en semaine et ferment tôt le samedi (de 13 h à 16 h). En hiver, les grands magasins ferment plus tard certains jours et sont parfois ouverts le dimanche.

Remboursement de la «Moms»

Appelée «Moms» en Suède, la TVA – ou taxe à l'achat – frappe tous les produits et les service. Cette taxe d'environ 18% peut être remboursée en argent liquide dans les sept jours suivant l'achat. Ceci à n'importe quel point de départ. Mais il faut que le visiteur étranger ait réalisé ses emplettes dans une boutique arborant un autocollant bleu et jaune portant l'indication *«Tax-Free Shopping»*, et qu'il y ait présenté son passeport. Seules les personnes ne résidant pas en Scandinavie y ont droit. Il leur suffira alors de présenter au service de dédouanement du port, de l'aéroport ou à bord du navire en partance, le chèque spécial remis au magasin.

Où faire ses achats

Trois grands magasins sont situés dans le centre de la ville. PUB, sur Hörtorget, fait face à Konserthuset.

Du marché en plein air qui se tient sur la place, prenez au sud Drottninggatan vers le grand magasin Ahléns et vers Sergels Torg. Une galerie marchande souterraine vous permet d'accéder directement au sous-sol de NK, le grand magasin traditionnel de

Stockholm. De NK, en suivant Hamngatan à l'est, vous arriverez à Norrmalmstorg et à Biblioteksgatan, petite rue piétonnière, qui conduit à Stureplan. Prenez alors à l'ouest la large Kungsgatan, et vous ne tarderez pas à vous retrouver à votre point de départ.

Pour vous amuser à faire vos achats dans un merveilleux cadre médiéval, allez à Gamla Stan. Västerlånggatan, la principale rue piétonnière (elle traverse l'île), est bordée de ma-

Souvent fermées au trafic, les rues de Gamla Stan font la joie des amateurs de... lèche-vitrines!

gasins et de restaurants. Vous y trouverez également de petites boutiques et des échoppes d'artisans, des galeries d'art et des antiquaires cachés dans les étroites ruelles et les pittoresques allées qui débouchent dans Västerlånggatan.

Rendez-vous enfin au magasin de souvenirs du Palais royal: des objets originaux!

Qu'acheter

Verrerie. C'est là, sans aucun doute, le fleuron du design suédois: un bon achat à faire! Les noms d'Orrefors, Kosta et Boda sont célèbres dans le monde entier, et les artistes et artisans qui travaillent dans ces ateliers ou dans d'autres verreries font tout pour que leur réputation, fondée sur l'imagination et la qualité, se perpétue. Vous n'aurez donc que l'embarras du choix, du petit souvenir au cristal unique. **81**

Céramique. Dans ce domaine, les noms de Rörstrand et Gustavsberg sont les plus connus, mais il existe de nombreuses entreprises plus modestes. Là encore, un grand choix s'offre à vous : des petits objets amusants qui entreront facilement dans votre sac aux sculptures dont le prix est en rapport avec la taille impressionnante.

Pour la maison. Les Suédois attachent une importance quasi mystique à l'aspect de leur intérieur, et cela se perçoit au soin qui entre dans la fabrication des meubles. C'est à de grands maîtres comme Bruno Mathsson et Carl Malmsten que la Suède doit, dans une large mesure, les lauriers glanés dans ce domaine, mais la tradition du beau meuble fonctionnel a été reprise par de jeunes artisans. Les tissus, les lampes et les ustensiles de cuisine tels que les grands saladiers en bois valent également que vous vous y intéressiez.

Vaisselle en inox. Autre superbe production locale, qui a conquis à juste titre un renom international ! Des articles à la fois beaux et fonctionnels.

Souvenirs. Le cheval de Dala, sculpté à la main et peint de couleurs vives, est bien le souvenir le plus typique et le plus populaire de Suède. Pensez aussi aux étoffes peintes à la main et aux mignonnes poupées en costume folklorique.

Le magasin de souvenirs du Palais royal vend une sélection de copies d'objets exposés dans les palais suédois (répliques de chandeliers, d'objets en verre ou en étain, etc.). Quant aux autres articles, ils portent tous l'emblème royal.

Artisanat lapon. Bien que Stockholm soit loin de la Laponie (qui s'étend au-delà du cercle arctique), de nombreuses boutiques vendent des boucles de ceinture, des manches de couteau, des bourses et autres objets de qualité exceptionnelle que des artisans lapons fabriquent avec des bois ou de la peau de renne.

Fourrures. En Suède, il ne s'agit guère d'un luxe en raison du froid hivernal. Recherchez la marque Saga, label prestigieux pour un vison incomparable, travaillé dans chacun des pays scandinaves.

Daim. Les manteaux, les vestes et les jupes en daim constituent d'excellents achats.

Argent. De grands orfèvres (tel Sigurd Persson) ont créé des colliers, des bracelets et des bagues de conception hardie, sans oublier d'étonnants bols en argent, des étuis à cigarettes, etc.

Socques. La mode de ces nu-pieds en bois appelés *träskor* a gagné le monde entier ces dernières années. Vous en trouverez pour tous les goûts.

Appareils de photo. Vous êtes au pays du célèbre Hasselblad, que les cosmonautes américains ont utilisé.

Équipement sportif. Les amateurs de plein air se plairont à «fouiner» dans les magasins spécialisés ; ils y trouveront des équipements de camping de première qualité. Les cannes à pêche et les moulinets de marque ABU sont exportés partout où il se trouve des pêcheurs pointilleux sur la perfection de leur équipement.

Bougies. Les Suédois en brûlent un nombre étonnant pour réchauffer l'ambiance de leurs longues nuits d'hiver. Elles sont de toutes tailles, formes et couleurs, avec des bougeoirs en verre ou en métal, en bois ou en paille.

Décorations de Noël. Elles sont ravissantes. Les Suédois fêtent Noël selon la tradition, **83**

La verrerie, de réputation mondiale: une bonne idée pour vos achats.

et ces décorations constituent des souvenirs tout trouvés. Les commerçants l'ont compris, qui en offrent à présent toute l'année!

Alimentation. Juste avant de partir, pourquoi n'achèteriez-vous pas du fromage, des harengs, du caviar, du saumon fumé, du pain de seigle ou complet croustillant, et bien sûr de l'aquavit pour offrir un petit *smörgåsbord* à vos amis?

N'oubliez pas, si tel ou tel article encombrant (un meuble, par exemple) vous séduit, que le vendeur est certainement à même de vous l'envoyer dans votre pays: il s'occupera en particulier de la déclaration en douane et de la «Moms», qui d'ailleurs sera déduite.

Les sports

Les Suédois sont un peuple très sportif; rien d'étonnant, donc, à ce que la région de Stockholm offre de nombreuses possibilités en la matière. Sur le plan du «sport spectacle», la vedette appartient aux matches de football en été et de hockey sur glace en hiver. De prestigieuses manifestations sportives se tiennent sous le gigantesque dôme blanc du Globe Arena, au sud de la capitale. Cette construction sphérique, la plus grande du monde, peut être rapidement convertie en stade, en théâtre ou en salle de concerts.

Dans cette ville aquatique, la natation, la voile et la pêche sont des sports populaires. Les Suédois de tous âges pratiquent le «jogging» et le ski de fond sur les nombreuses pistes forestières, aux environs de la ville. Le Service d'information de Stockholm (voir p. 119) vous renseignera utilement.

Natation. La région de Stockholm aligne quelque 200 kilomètres de plages, sur la mer ou sur les lacs – y compris à Riddarfjärden près du centre-ville. Mais la température de l'eau dépasse rarement 20 °C! Ou bien, rabattez-vous sur les sept piscines en plein air de la ville (dont certaines possèdent un sauna) et les douzaines d'autres dans la banlieue (ouvertes de mai à la mi-septembre). Une des plus vieilles piscines est la jolie Vanadisbadet près de Sveavägen, récemment transformée en un parc de jeux aquatiques; la plus grande, Eriksdalsbadet, au sud de la ville, peut accueillir 3000 personnes. Attention: le naturisme est interdit dans les piscines.

Pêche. Les eaux de la capitale sont débarrassées de toute pollution depuis quelques années, et vous pourrez attraper des saumons dans le Strömmen, qui coule à deux pas du Palais royal. Le poisson est abondant dans le lac Mälar, dans les lacs de moindre étendue et fort heureusement autour des 24 000 îles de l'archipel de la mer Baltique. Il vous faudra bien entendu une carte de pêche, que vous obtiendrez facilement. Renseignez-vous là aussi auprès du Service d'information de la capitale.

Voile. Les enthousiastes de la voile sont nombreux dans la région de Stockholm. En été, les bateaux envahissent littéralement le lac Mälar, la proche Baltique, ainsi que les voies d'eau de la ville. Vous pourrez louer un voilier en dix endroits différents au moins (voyez avec l'Office du touris- **85**

Belle journée dans les environs de la capitale, au sein d'une nature idyllique. Tandis que, sur l'eau, vous aurez vite le vent en poupe.

me). Certains ports accueillent les navigateurs arrivant sur leur propre embarcation. Toutefois, faites très attention si vous devez naviguer dans le labyrinthe de l'archipel stockholmois: renseignez-vous au préalable! C'est là une merveilleuse expérience, certes, mais qui ne s'adresse pas aux **86** simples amateurs...

Golf. Sa popularité grandit en Suède. Le pays compte quelque 200 links, dont l'un au-delà du cercle arctique, où le soleil de minuit vous éclairera. Voici quels sont les links à 27 trous dans la région de Stockholm: Djursholms Golfklubb, Saltsjöbadens Golfklubb, Ägesta Golfklubb et Lindö Golfklubb.

Et les golfs à 18 trous: Ullna Golfklubb (Åkersberga), Lidingö Golfklubb, Stockholms Golfklubb (Kevinge) et Wärmdö Golf & Country Club. N'oubliez pas de commencer par téléphoner au club de votre choix pour connaître les disponibilités.

Tennis. Les prodigieux succès obtenus par les enfants du pays (Borg, Wilander, etc.), ont contribué à rendre ce sport très populaire. Aussi vous sera-t-il difficile de trouver un court libre le soir ou durant le week-end. Deux très bons endroits (avec courts couverts ou en plein air): Kungliga Tennishallen, Lidingövägen 75 et Tennisstadion, Fiskartorpsvägen 20. Par ailleurs, le squash est également en faveur.

Courses de chevaux. Mentionnons deux champs de courses: Täby, pour les courses de plat et d'obstacles, et Solvalla pour les courses de trot. Vous pourrez y faire un très bon repas tout en misant. **87**

Randonnées. Une sacro-sainte tradition suédoise *(alle-mansrätten)*, assure à chacun le droit de profiter des joies de la nature. Tant que vous n'endommagez pas la propriété d'autrui, promenez-vous où vous voulez; vous pouvez aussi emprunter des pistes balisées. L'une d'elles, «Uppslandsleden», va de Järfälla à Uppsala et de Bålsta à Enköping. Une autre, «Roslagsleden», à l'est de Stockholm, vous mènera de Danderyd à Domarudden (56 km).

Football. Les grands matches, suivis par une foule bruyante, ont lieu aux stades de Råsunda et de Stockholm.

Patin à glace. La plus belle patinoire à ciel ouvert est à Kungsträdgården, au cœur de la ville. Mais comme beaucoup de Suédois, vous préférerez peut-être le patinage de randonnée. C'est un sport très tonique et, si les conditions s'y prêtent, vous pourrez parcourir ainsi des kilomètres.

Ajoutons qu'à Djurgården, vous pourrez louer une bicyclette, faire du cheval ou vous promener paisiblement.

Djurgården? C'est le paradis des passionnés d'équitation. Spectacle au Théâtre royal de Drottningholm.

Les distractions

Stockholm n'est pas l'une des villes les plus riches du monde en ce domaine. Mais il s'y passe suffisamment de choses pour que le touriste ne s'ennuie pas. Les longues nuits claires de l'été favorisent d'agréables activités de plein air. *Stockholm This Week* (en anglais) est un guide indispensable si vous voulez être au courant des distractions offertes. Votre hôtel vous le remettra gratuitement.

La musique et le théâtre

Le quartier général de la musique pendant les mois d'hiver est la grande salle du Konserthuset. En été, des **concerts** sont donnés en des cadres splendides dans toute la région de Stockholm: au Palais royal, dans la cour du Hallwylska Museet, au Waldemarsudde du prince Eugène, en des églises comme Jakobs Kyrka et Tyska Kyrkan, dans la Vieille Ville, ou en plein air dans des parcs

comme Kungsträdgarden, au cœur même de la capitale.

Pour les amateurs d'**opéra** et de **ballet,** deux saisons *exceptionnelles* sont offertes : l'une, du début de l'automne à la fin du printemps, à Kungliga Operan (Opéra royal) ; l'autre, en été, au château de Drottningholm dans son incomparable théâtre (voir p. 69), avec des œuvres des XVIIe et XVIIIe siècles. Et ne manquez pas, si toutefois l'occasion s'en présente, les spectacles des Ballets Cullberg, excellente troupe formée par la chorégraphe Birgit Cullberg.

Des **pièces de théâtre** classiques et modernes sont montées (seulement en suédois) à Kungliga Dramatiska Teatern et à Stadsteatern (Théâtre municipal de Stockholm). Le théâtre de Marionnettes propose d'excellents spectacles qui passionneront les jeunes... et les moins jeunes.

Nombre de **cinémas** sont dans le centre. Tous les films étrangers sont projetés en version originale. Et chaque salle donne au moins deux séances par jour. Si vous voulez voir un film de Bergman, il vous faudra jouer des coudes !

Les hauts lieux du **jazz** sont Stampen, un pub de la Vieille Ville et le Fasching Jazzclub à Kungsgatan. Le Festival de jazz et de blues de Stockholm a lieu à Skeppsholmen le dernier week-end de juin et le premier week-end de juillet.

La vie nocturne

Vous apprendrez avec plaisir qu'il n'est plus vrai que tout ferme à minuit. De nombreuses **boîtes de nuit** (certaines dans les hôtels) restent maintenant ouvertes jusqu'à 3 h du matin. Elles ont toutes un orchestre de danse, et quelques-unes un spectacle de variétés. Les tables sont réservées aux personnes désireuses de manger, alors qu'au bar, on peut ne commander qu'une boisson. On danse dans une cinquantaine de **restaurants** qui ferment plus tôt (vers 1 h du matin). Dans la mesure où les personnes seules, hommes et femmes, sont la règle plutôt que l'exception, ce sont là des endroits propices aux rencontres.

Les **discothèques** «poussent» comme des champignons. Vous y paierez un droit d'entrée (plutôt élevé) et y retrouverez la génération portant des jeans.

Il y a longtemps que les Suédois se désintéressent des **sex clubs** (et des films pornos), qui attirent surtout les touristes étrangers. Pour connaître les adresses, consultez donc *This Week in Stockholm.*

Les parcs

Skansen, le fameux musée en plein air (voir p. 48), organise une grande variété de spectacles pendant toute la saison d'été: l'Orchestre philharmonique de Stockholm un soir, des violoneux suédois le lendemain, ou un groupe folklorique étranger. Vous pourrez faire un bon repas et danser dans certains restaurants à Skansen.

Si votre séjour en Suède est des plus brefs, ne manquez pas de consacrer quelques heures à Skansen, histoire de faire connaissance avec le pays, son histoire et... sa population!

Près de Skansen, **Gröna Lund** est un parc d'attractions où rien ne manque pour vous distraire, pas même une scène en plein air où se produisent des artistes internationaux comme Birgit Nilsson, Count Basie –

Pour les amateurs de sensations fortes, la grande roue tournoie audessus de Gröna Lund *illuminé.*

et le «troubadour» le plus célèbre de la Suède d'aujourd'hui, Sven-Bertil Taube.

Des fêtes et des hommes

Les Suédois sont peut-être à l'avant-garde en ce qui concerne les questions sociales ou sexuelles, mais extrêmement traditionalistes quand il s'agit de la célébration des fêtes. Dans tout le pays, toutes sortes de festivités rythment le calendrier.

Le 13 décembre, jour de la **Sainte-Lucie,** se déroule un séduisant prélude aux cérémonies de Noël. Des jeunes filles en longue robe blanche coiffent des couronnes de bougies allumées pour symboliser la lumière perçant les ténèbres de l'hiver. Elles chantent la Sainte-Lucie et offrent du café et des petits pains au lait. Dans presque tous les cafés et les restaurants, des bougies brillent sur les tables.

Comme un peu partout, en Suède luthérienne, Noël et Pâques font l'objet de célébrations religieuses, tandis que la **nuit de Walpurgis** (30 avril) se réfère au paganisme de l'époque viking. Pour saluer la venue du printemps, on allume des feux de joie. Une exubérance particulière règne dans les villes universitaires, où l'on défile avec des torches en déclamant discours et poèmes.

Le **1er mai** est la fête du Travail. Le **6 juin,** jour de la Fête nationale, est marqué par des défilés ondoyant sous le drapeau suédois et par les détonations des avions supersoniques.

On fête le jour le plus long de l'année – la **Saint-Jean d'été** ou *Midsommar* – le vendredi entre le 19 et le 25 juin. Des mâts joliment décorés de guirlandes de fleurs des champs et de rameaux de bouleau, sont dressés sur les places, dans toutes les localités de Suède, et des rondes s'organisent autour sur une musique folklorique. On danse, on boit, on s'amuse tard dans la nuit, qui, à cette période de l'année, est aussi claire que le jour. La tradition veut que si une jeune fille place ce soir-là sept sortes de fleurs différentes sous son oreiller, elle rêve de son futur mari...

A Stockholm, les réjouissances qui marquent la Saint-Jean ont Skansen pour cadre, et les touristes sont chaleureusement invités à y prendre part.

Au Skansen, traditionnellement, les fêtes de la Saint-Jean sont l'occasion de liesses émouvantes.

Les plaisirs de la table

Un mot vient tout de suite à l'esprit: naturel. Un Suédois parlera avec lyrisme des *färskpotatis,* pommes de terres nouvelles bouillies avec de l'aneth (plante très répandue) et servies avec une simple noisette de beurre. On apprécie aussi les baies sauvages et les champignons, d'autant que le prix des denrées alimentaires est monté en flèche ces dernières années.

La loi suédoise autorise tout un chacun à recueillir ces dons de la nature dans les champs et les forêts. Même les citadins – qui ne sont jamais très loin de la campagne – profitent de cette chance et font la cueillette de *smultron* (fraises des bois), *blåbär* (airelles ou myrtilles), *lingon* (canneberges), *hjortron* (framboises arctiques) et *svamp* (champignons).

En Suède, chaque saison amène ses spécialités, et on ne peut ignorer ce fait quand on parle des habitudes alimentaires. Certains plats régionaux – la soupe au sang ou le hareng fermenté – peuvent vous répugner, mais le touriste curieux essaiera au moins quelques-unes de ces préparations traditionnelles.

«Oh! les beaux jours»...
Comme leur nom l'indique, les *fettisdagsbullar* ou *semlor* (petits pains du Mardi gras) sont associés au Carême, mais ils sont devenus si populaires qu'on en trouve dès après Noël. Chose curieuse: on les ouvre une fois cuits, on les fourre de pâte d'amandes et de crème fouettée, puis on les sert dans un bol de lait chaud sucré agrémenté de cannelle. L'arrivée du printemps est également saluée par un mets riche en calories, *våfflor* (gaufres à la confiture et à la crème fouettée), et par trois plats de saumon: *gravad lax,* au vinaigre et à l'aneth, servi avec une sauce moutarde; *färskrökt lax,* fumé; *kokt lax,* bouilli.

L'été, il fait jour presque vingt-quatre heures sur vingt-quatre. C'est l'époque où les gens du Nord peuvent déguster des fruits et des légumes qui ont poussé au soleil de minuit au lieu des produits importés – très chers – que l'on trouve le reste de l'année. Demandez une *västkustsallad,* délicieuse salade de fruits de mer avec des champignons et des tomates.

En août, faites-vous inviter à une partie de *kräftor* (écrevisses). Affublés de bavoirs en papier, les Suédois, toujours si corrects, abandonnent toute retenue quand ils se ruent sur les piles d'écrevisses luisantes et rouges, à la lueur des lampions suspendus au-dessus de la table. Du *kryddost,* fromage au carvi, des toasts beurrés et des baies fraîches complètent traditionnellement le menu. L'atmosphère peut devenir franchement gaie... surtout que l'aquavit coule à flots.

Cette boisson très forte accompagne une autre spécialité

Et voici le moment tant attendu du smörgåsbord, *le buffet suédois, digne de sa réputation! Vous n'aurez là que l'embarras du choix...*

de saison : le *surströmming* (hareng de la Baltique salé et fermenté) ; nombreux sont ceux qui ne peuvent pas même en approcher le nez sans un ou deux verres d'aquavit ! L'odeur, pour ne pas employer de terme plus fort, en est suffocante, mais dans le nord de la Suède, on s'en délecte.

D'automne et d'hiver

C'est dans le sud de la Suède qu'on célèbre le mieux la Saint-Martin, mais quelques restaurants de Stockholm respectent encore cette tradition. La vedette de ce jour de novembre est l'oie rôtie *(stekt gås)*, mais ce n'est pas tout : le repas commence par une soupe au sang *(svartsoppa)* très épicée et se termine par un gâteau – pyramide de fine dentelle cuite à la broche dénommée *spettekaka* – qui fond dans la bouche.

L'époque de Noël s'ouvre le 13 décembre – l'un des jours les plus sombres et les plus courts de l'année – avec la charmante entrée au petit matin, dans les foyers et même dans certains lieux publics, de sainte Lucie. Vêtue d'une longue robe blanche et couronnée de chandelles, la reine de la Lumière réveille la maisonnée en chantant une mélodie propre à ce jour, et elle sert des petits pains au safran, des gâteaux secs au gingembre avec du café.

Le repas de Noël se prépare des semaines à l'avance, même si, de nos jours, beaucoup de maîtresses de maison travaillent au dehors. Le *smörgåsbord* de Noël *(julbord)* peut ne pas avoir toujours la splendeur d'antan, mais les principaux composants y figurent toujours. Les restaurants font à cette occasion un effort spécial.

Le *smörgåsbord* n'est cependant qu'une partie du menu de fête. Parmi les autres plats en honneur à cette époque de l'année, relevons la morue séchée et préparée dans la saumure *(lutfisk)*, le jambon traditionnel *(skinka)*, ainsi que le gâteau de riz contenant une amande destinée à celui ou à celle qui se mariera dans l'année *(risgrynsgröt)*. On trouve alors également toutes sortes de pâtisseries et de pains délicieux.

Le smörgåsbord

Cernée par la mer, la Suède compte en outre quelque 100 000 lacs ; le poisson y est donc abondant et omniprésent dans les menus. Jadis, il était souvent séché, fumé, salé ou fermenté pour n'être consommé que l'hiver venu. Même aujourd'hui, à l'époque de la **97** congélation, ces méthodes restent très prisées, en particulier pour le hareng. Le «buffet de hareng» *(sillbord)*, précurseur du *smörgåsbord,* forme toujours la base de la grande attraction culinaire suédoise.

Quant au *smörgåsbord* (ou buffet), il peut comporter jusqu'à 100 plats différents. Ne vous précipitez pas au hasard et ne surchargez pas votre assiette : vous pourrez y revenir autant de fois que vous le voudrez.

Plus important encore : l'ordre de dégustation des plats. Au départ, prenez un peu de chacune des spécialités de hareng et accompagnez-les de pommes de terres bouillies, de pain et de beurre. Servez-vous ensuite d'autres produits de la mer : saumon fumé ou bouilli, anguille fumée, caviar suédois, crevettes, etc. Passez ensuite aux plats d'œufs, aux viandes froides (goûtez au renne fumé) et aux salades. Viennent encore les petits plats chauds (boulettes de viande, saucisses grillées et omelettes) et, finalement, si vous avez encore faim..., les fromages et les fruits.

Le petit déjeuner et le pain
Le petit déjeuner *(frukost)* comporte du café ou du thé avec des petits pains, du beurre,

de la confiture et parfois du fromage. Votre hôtel pourra certainement vous en servir un plus substantiel avec œufs, jambon ou bacon, si vous êtes un tenant du petit déjeuner à l'anglaise.

Le café – excellent – est consommé en grandes quantités à toute heure du jour et de la nuit. Il constitue un élément important de la vie sociale suédoise. Au repas, même les adultes boivent beaucoup de lait. Les Suédois aiment aussi le yaourt et les autres sortes de lait fermenté.

Jusqu'à une époque récente, les gens se plaignaient de ce que le pain (qui contenait de la mélasse) était trop sucré. On trouve maintenant facilement du pain non sucré. Goûtez le *knäckebröd* (pain complet croustillant qui se présente sous diverses formes). Peut-être en rapporterez-vous avec du fromage, dont il existe quelque 200 sortes en Suède. Demandez du *västerbottenost,* du *herrgårdsost* et du *sveciaost :* ce sont des fromages secs très typiques et qui vieillissent très bien.

Restaurants
Ces dernières années les pizzerias, les boîtes à hamburgers et les restaurants chinois se sont multipliés dans la région de Stockholm. D'autres établisse-

Pour souffler un peu, peut-être vous offrirez-vous un excellent repas en bonne compagnie, dans la «verte douceur des soirs» à Djurgården.

ments servent des spécialités françaises, allemandes, espagnoles, hongroises, grecques, etc. Cela devient presque un problème de trouver de l'authentique cuisine suédoise!

Recherchez les restaurants qui mettent un point d'honneur à servir des plats traditionnels quotidiens *(husmanskost)*, comme: *Janssons frestelse* (la tentation de Jansson), un mélange de pommes de terre, d'oignons et de sprats, enrichi de crème; *kåldolmar,* des bouchées de chou farci; *pytt i panna,* des lamelles de viande mêlées à des oignons et à des pommes de terre; *kalops,* un ragoût de bœuf; *dillkött,* de l'agneau ou du veau avec une sauce à l'aneth; *köttbullar,* les fameuses boulettes de viande suédoises; **99** *bruna bönor,* des haricots bruns dans une sauce à la mélasse; *strömmingsflundror,* des harengs frits; le jeudi, mangez comme tout le monde une soupe aux pois avec du porc *(ärter med fläsk),* suivie de crêpes à la confiture *(pannkakor med sylt).*

Il est parfois difficile de trouver un *smörgåsbord,* sauf le dimanche après-midi et en période de Noël. Demandez conseil à la réception de votre hôtel. A Stockholm, l'élégant Operakällaren (restaurant de l'Opéra) propose quotidiennement, au déjeuner, un *smörgåsbord* qui passe pour le meilleur du monde...

On ne peut pas dire que les restaurants soient bon marché à Stockholm, mais les prix des plus grands sont équivalents à ceux d'établissements comparables dans les autres grandes villes européennes. Ce qui grèvera le plus votre budget, ce sont les apéritifs pris au restaurant ou dans un bar.

De nombreuses cafétérias en libre-service parsèment la ville et la plupart des restaurants ont des menus à moitié prix pour les enfants. Choisissez le *dagens rätt* (plat du jour): c'est souvent une bonne affaire.

Le déjeuner est servi vers midi et le dîner à partir de 18 h. **100** Votre addition comportera ha-bituellement 13% de service, mais le serveur (ou la serveuse) attendra un petit supplément.

Boissons alcoolisées

La boisson nationale est l'aquavit, appelé aussi *snaps,* obtenu par la distillation de pommes de terre ou de blé, et parfumé avec diverses herbes ou épices. Les variantes sont nombreuses. Il faut toujours manger quelque chose quand on en boit – du hareng de préférence. L'aquavit doit être servi glacé dans de petits verres que l'on vide d'un trait; on se rince ensuite le gosier avec de la bière ou de l'eau minérale! Pas d'aquavit sans *skål,* ce toast scandinave universellement connu, que vous lancerez en regardant votre compagnon droit dans les yeux. (Au fait, c'est toujours au maître de céans de lancer la ronde des *skål.* Abstenez-vous, s'il y a beaucoup de convives, de «skoler» avec l'hôtesse!).

Autre spécialité, le *glögg,* vin chaud épicé que l'on sert aux alentours de Noël, et le *punsch* (punch), généralement servi après dîner, bien froid, avec du café. On peut aussi le boire chaud avec le repas traditionnel du jeudi (la soupe aux pois jaunes et les crêpes).

Les ligues antialcooliques sont très puissantes dans le

monde politique suédois, d'où les lourdes taxes frappant les boissons alcoolisées, en particulier les alcools forts, afin d'en décourager la consommation. D'ailleurs, en dehors des bières très légères qu'on peut acheter dans les épiceries et les supermarchés, les boissons alcoolisées ne sont en vente que dans les magasins de Systembolaget (monopole d'Etat).

Ces derniers offrent toutes les marques connues de whisky, vodka, gin, etc., mais ce sont les vins qui restent le plus abordables. Les vins de table (français, italiens, espagnols, grecs) sont expédiés en Suède dans des citernes et mis en bouteilles sur place. Leur qualité est bonne, le choix large et les prix raisonnables. Cela tient au fait que Systembolaget fait campagne pour la promotion du vin (bu en quantité modérée, bien sûr), contre les alcools forts et leurs méfaits.

Pour vous faire servir...

Pourrions-nous avoir une table?
Avez-vous un menu?
Je voudrais un/une/de la/du/des...

Finns det något ledigt bord?
Har ni någon meny?
Jag skulle vilja ha...

beurre	**smör**	œuf	**ägg**
bière	**öl**	pain	**bröd**
(légère)	**lättöl**	poisson	**fisk**
(forte)	**starköl**	poivre	**peppar**
café	**kaffe**	pommes de	**potatis**
crème	**grädde**	terre	
dessert	**efterrätt**	salade	**sallad**
eau	**vatten**	sandwich	**smörgås**
eau minérale	**mineralvatten**	sel	**salt**
fromage	**ost**	soupe	**soppa**
fruit	**frukt**	sucre	**socker**
glace	**glass**	thé	**te**
lait	**mjölk**	verre	**glas**
menu	**matsedeln**	viande	**kött**
moutarde	**senap**	vin	**vin**

...et pour lire le menu

ansjovis	sprats marinés	nyponsoppa	soupe au cynorrhodon
bakad potatis	pommes de terre au four	oxrulader	roulade de bœuf
biff	bifteck	oxstek	rosbif
böckling	hareng fumé	paj	pâté
fiskbullar	boulettes de poisson	pannbiff	émincé de bœuf
fläskkotlett	côtelette de porc	pepparrotskött	bœuf bouilli avec sauce au raifort
fläskpannkaka	crêpe au porc		
fruktsallad	salade de fruits	potatismos	purée
gryta	ragoût	rabarber	rhubarbe
gädda	brochet	rensadel	selle de renne
hallon	framboises	revbensspjäll	côte de porc
höns	poulet en ragoût	rotmos	purée de navets
isterband	saucisse fumée	rulltårta	roulé à la confiture
jordgubbar	fraises		
järpe	coq de bruyère ou pavé de viande hachée	råbiff	bifteck tartare
		rådjurssadel	selle (venaison)
		räkor	crevettes
kalv	veau	rödbetor	betteraves
kasseler	longe de porc fumée	rödspätta	carrelet
		sillbullar	rissoles de hareng
kokt	cuit (bouilli)		
korv	saucisse	sjömansbiff	ragoût de bœuf et de pommes de terre
krabba	crabe		
krusbär	groseilles		
kyckling	poulet	skaldjur	crustacé
lammstek	agneau rôti	skinka	jambon
lax	saumon	sparris	asperges
laxpudding	gratin de pommes de terre et de saumon	spenat	épinards
		stekt	frit, sauté
		stuvad	en purée
		tonfisk	thon
lever	foie	tårta	sorte de mille-feuille
lök	oignon		
makrill	maquereau	vitkål	chou blanc
matjessill	hareng au vinaigre	ål	anguille
		älg	élan
musslor	moules	äppelkaka	gâteau aux pommes
njure	rognons		

BERLITZ-INFO

Comment y aller

PAR AIR

Vols réguliers

Au départ de la Belgique. Il existe de un à quatre vols directs par jour à destination de Stockholm (*via* Copenhague), en 3 h 15 min.

Au départ du Canada. Vous changerez, selon les cas, à Amsterdam, à Bruxelles, à Londres ou encore à Paris. Comptez 12 h de voyage.

Au départ de la France. *Paris–Stockholm:* il y a entre trois et cinq vols directs par jour en 2 h 30 min et plusieurs services avec changement à Copenhague. *Province–Stockholm:* selon votre ville de départ, vous changerez à Paris, à Zurich ou à Copenhague. En revanche, de Nice, on peut rallier Stockholm par vol direct en 3 h 05.

Au départ de la Suisse romande. Genève est reliée deux fois par jour (vols directs) à Stockholm, en 2 h 35. D'autres vols sont programmés, mais il faut changer d'avion à Zurich, Bruxelles, Copenhague, Francfort ou Paris. Comptez entre 4 et 6 h de voyage.

Réductions et tarifs spéciaux. Les dispositions énoncées ci-après sont données à titre indicatif; ne manquez pas de consulter votre agent de voyages. **Europe–Suède:** les familles – et les jeunes de moins de 26 ans – bénéficient de substantielles réductions. *Bruxelles–Stockholm:* il existe un tarif PEX et un tarif APEX, valables un mois. *Paris–Stockholm:* vous sont proposés un tarif PEX et un Super PEX, d'une validité de 3 mois, ainsi qu'un tarif APEX, valable à certaines dates de l'année. *Genève–Stockholm:* à signaler les tarifs excursion, PEX et APEX, tous valables 3 mois, de même que le tarif Super APEX, dont on peut disposer à certaines périodes de l'année. **Canada–Suède:** vous choisirez entre les tarifs excursion et APEX, tous deux valables de 7 jours à 6 mois, et le tarif Super APEX, valable, lui, de 7 jours à 3 mois.

Les voyages organisés. La formule du forfait est financièrement intéressante: sont généralement inclus le voyage en avion, l'hébergement dans de bons hôtels, les tranferts, etc. Comparez bien les prestations effectivement offertes. – Certaines compagnies aériennes organisent, à destination de Stockholm, des voyages *Fly–Drive* (avion + voiture), pour deux personnes au moins.

PAR ROUTE

Vous devrez effectuer deux transbordements par ferry-boat: l'un entre Puttgarden et Rødby, l'autre entre Helsingør et Helsingborg. Notons en passant les liaisons régulières suivantes: Kiel–Göteborg, Travemünde–Trelleborg, Travemünde–Helsingborg/Malmö.

Au départ de Bruxelles. Par l'autoroute, vous gagnerez Liège, Hanovre, Hambourg; puis Puttgarden, Rødby, Copenhague, Helsingör, Helsingborg et Jönköping (autoroutes au Danemark, tronçons en Suède). Comptez 1600 km environ.

Au départ de Paris. Vous rejoindrez Liège, Hanovre, Hambourg, Puttgarden, Rødby, Helsingör, Helsingborg, Jönköping; jusqu'à Helsingör, vous ne quitterez guère l'autoroute. Vous avez environ 1850 km.

Au départ de Genève. Vous gagnerez Bâle et, de là, par l'autoroute, Francfort, Hanovre, Hambourg, Puttgarden, Rødby, Helsingör, Helsingborg, Jönköping, Stockholm. Soit approximativement 2000 km.

PAR RAIL

Au départ de la Belgique. Il existe des voitures directes Ostende–Bruxelles–Liège–Copenhague (1re et 2e classe; voitures-lits et couchettes), accrochées à Liège au *Nord-Express*. A Copenhague, la correspondance pour Stockholm est assurée; le voyage dure 24 h.

Au départ de Paris. Le *Nord-Express* (1re et 2e classe; places assises et couchées) met Copenhague à moins de 16 heures de Paris; le trajet Copenhague–Stockholm (correspondance) est couvert en 8 h 15 min.

Au départ de la Suisse romande. Un train de jour assure la liaison Genève–Lausanne–Bâle–Hambourg; vous prendrez ensuite à Hambourg le train de nuit à destination de Stockholm; comptez 25 h.

Enfin, les chemins de fer assurent quelques liaisons train-auto-couchettes jusqu'à Hambourg, notamment depuis Narbonne et Avignon ainsi qu'au départ de Lörrach (Bâle).

Sont valables en Suède les cartes *Eurailpass, Inter-Rail* et *Rail Europ.* Renseignez-vous aussi sur le *Nordturist Ticket,* billet valable 21 jours, qui donne droit au libre parcours en 1re ou 2e classe sur tout le réseau ferroviaire scandinave ainsi qu'à des réductions sur certains ferries. Les moins de 26 ans pourront également profiter du billet BIGE.

Quand y aller

L'été est bien entendu la saison la plus favorable: les jours sont longs et ensoleillés. Mais il y a moins de touristes au printemps et en automne, pourtant non dépourvus de charmes. L'hiver, froid et neigeux, vous offre, par exemple à Noël; une expérience inoubliable. Moyennes mensuelles relevées à Stockholm (°C):

	J	F	M	A	M	J	J	A	S	O	N	D
Maxima	−1	−1	3	7	14	18	21	19	14	9	3	1
Minima	−5	−6	−3	0	5	9	13	12	8	4	−1	−3

Pour équilibrer votre budget...

Voici quelques exemples de prix moyens, exprimés en couronnes suédoises (kr.), qui vous permettront de vous faire une idée du coût de la vie à Stockholm. Mais, l'inflation aidant, ces prix sont indicatifs.

Aéropórt (transferts). Bus de l'aéroport au centre-ville 50 kr, taxi 200 kr. Transport en limousine de la SAS 800 kr (le véhicule).

Bateaux (excursions: aller et retour). De Stockholm à Gripsholm 160 kr, à Sandhamn 90 kr, à Birka 105 kr, à Drottningholm 55 kr.

Carte de Stockholm. 24 heures 135 kr, 2×24 heures 270 kr, 3×24 heures 405 kr (gratuité pour deux enfants âgés de 7 à 17 ans).

Coiffeurs. *Dames:* coupe 200–250 kr, shampooing et mise en plis 250 kr, brushing 150 kr. *Messieurs:* coupe 150–200 kr.

Distractions. Concert 75–300 kr, opéra 75–300 kr, théâtre 75–300 kr, cinéma 60 kr, night-club/discothèque 60 kr l'entrée.

Hôtels (chambre double avec bains). De luxe 1900–2400 kr et plus, 1re classe 800–900 kr, classe économique 450–600 kr. Les prix comprennent le petit déjeuner, le service et la taxe («Moms»). **Auberges de jeunesse:** à partir de 111 kr, draps 40 kr par personne.

Location de voitures. *Ford Sierra automatique:* 390 kr par jour (100 km inclus), puis 13 kr tous les 10 kilomètres; *Saab 9000 Turbo:* 610 kr par jour, 2.75 kr le kilomètre; *Saab 9000:* 885 kr par jour avec kilométrage illimité.

Musées. 20–25 kr.

Repas et boissons. Petit déjeuner continental 45 kr, déjeuner 55–65 kr, dîner dans un bon restaurant 150–200 kr, café 15 kr, bière légère 20 kr, bière exportée 40–50 kr, cocktail 70 kr, bouteille de vin 100 kr au minimum, 4 cl de *snaps* 40 kr, 4 cl de whisky 40 kr.

Taxis. Prise en charge 40 kr, plus 15 kr le kilomètre.

Trains (2e cl). De Stockholm à Uppsala 60 kr aller, 120 kr aller et retour.

Transports en commun. Billet simple 10 kr; carnet de 15 unités 55 kr; carte touristique d'un jour: zone une 28 kr, Stockholm (ville et banlieue) 50 kr; carte touristique de trois jours 95 kr (y compris Skansen, Kaknästornet, Gröna Lund et, pour toutes les cartes, le bac de Djurgaard et l'entrée au musée du Tram, mais pas le tram lui-même).

Visites guidées. Croisière sous les ponts de Stockholm, adultes (1 heure) 50 kr, enfants de 6 à 12 ans, demi-tarif. Tour de ville (2½ heures en car), adultes 150 kr, enfants 75 kr.

Informations pratiques classées de A à Z pour un voyage agréable

Une traduction en suédois (généralement au singulier) suit le titre de la plupart des rubriques. Elle vous rendra service lorsque vous voudrez demander de l'aide.

AÉROPORT *(flygplats)*. Tous les vols pour Stockholm aboutissent à l'aéroport d'Arlanda, situé à 38 km de la capitale. Numéro de téléphone de l'aéroport: 08-797 00 00.

A

Le terminal international d'Arlanda abrite un restaurant de première classe, un self-service, un bar, des magasins de denrées alimentaires suédoises, de cadeaux, de produits hors taxes, de journaux et de livres, ainsi qu'une poste, une banque et une nursery. Des bureaux de location de voitures et d'information touristique (où vous pourrez réserver une chambre d'hôtel – voir OFFICES DU TOURISME) sont à votre disposition. Vous ne trouverez pas de porteur, mais pourrez utiliser gratuitement des chariots à bagages.

Les taxis sont nombreux, mais l'autobus de l'aéroport, qui vous conduira en ville en une quarantaine de minutes, est bien plus avantageux. Ce bus s'arrête à trois endroits: près d'un motel à Ulriksdals trafikplats, dans la banlieue nord de Stockholm, à St. Eriksplan et au Cityterminalen situé en plein centre-ville, près de la gare ferroviaire.

Liaisons intérieures. Tous les vols à l'intérieur de la Suède sont assurés par les compagnies Linjeflyg et SAS au départ d'Arlanda. Le terminal des lignes intérieures est relié à celui des lignes internationales par un passage piétonnier de 300 mètres.

AMBASSADES *(ambassad)*. Elles sont toutes établies à Stockholm.

Belgique:	Villagatan 13 A, 102 48 Stockholm, tél. 11 89 58
Canada:	Tegelbacken 4, 103 23 Stockholm, tél. 23 79 20
France:	Narvavägen 28, 115 23 Stockholm, tél. 63 02 70
Suisse:	Birger Jarlsgatan 64, 114 86 Stockholm, tél. 23 15 50.

A ARGENT

Monnaie. L'unité monétaire de la Suède est la couronne ou *krona* (pluriel *kronor*), écrit *kr* ou *Skr* à l'étranger pour la distinguer de la couronne danoise ou norvégienne. Elle est divisée en 100 *öre*.

Billets: 10, 20, 50, 100, 500, 1000 et 10 000 *kronor*.
Pièces: 10 et 50 *öre*, 1, 5 et 10 *kronor*.

Banques et bureaux de change. Les devises *(valuta)* peuvent être changées dans les grands hôtels et dans les grands magasins. Mais le taux de change sera naturellement plus intéressant dans une banque ou dans un bureau de change *(växelkontor)*. Les antennes bancaires de l'aéroport et de la gare centrale restent ouverts tous les jours jusque tard le soir. Voir Heures d'ouverture.

La plupart des **cartes de crédit** internationales sont honorées par les magasins et les restaurants, qui le signalent à leurs devantures.

Pourboires. Hôtels et restaurants incluent le service dans la note. Aussi le pourboire est-il facultatif en ce qui concerne la femme de chambre, le garçon, le guide ou toute autre personne travaillant dans le domaine touristique. L'employé qui vous aura rendu un service particulier acceptera volontiers la pièce. D'ailleurs, dans certaines branches, le pourboire est toujours de mise. Voici quelques indications:

Chauffeur de taxi	10%
Coiffeur (dames/messieurs)	facultatif
Porteur (hôtel), par bagage	3–4 kr (facultatif)
Préposée aux lavabos	3 kr
Vestiaire	montant indiqué ou 3,50 kr

Taxes à la vente. Appelée «Moms», la TVA suédoise frappe les biens et les services. Les ressortissants de pays extérieurs à la Scandinavie peuvent se faire rembourser l'essentiel des taxes payées sur des achats effectués lors de leur séjour en Suède (voir aussi p. 80).

B BATEAUX.

Stockholm et ses environs sont faits sur mesure pour les promenades en bateau. Certains vous font visiter la ville, d'autres desservent les îles de l'archipel de la Baltique et sillonnent le lac Mälar, s'arrêtant aux châteaux de Drottningholm, de Gripsholm et à divers autres sites intéressants. Les circuits organisés durent une heure pour le tour de ville ou prennent des allures de croisière avec une nuit à

Sandhamn, sur l'île de Sandön. Des compagnies privées offrent un grand choix d'excursions, dont la liste vous sera transmise par le Service d'information de Stockholm.

Voile. Si vous êtes un marin aguerri, donc sûr des règles de navigation en vigueur dans les eaux territoriales suédoises ainsi que de la localisation des ports de plaisance, vous pourrez louer un voilier en prenant contact avec le Touring Club suédois (STF):

Box 25, Drottninggatan 31–33, Stockholm, tél. 08-790 31 00.

Canoë. La pratique du canoë est très populaire. Vous pourrez louer une embarcation à Stockholm même; adressez-vous au:

Svenska Kanotförbundet, Skeppsbron 11, 611 35 Nyköping, tél. 0155-695 08.

BICYCLETTES. La circulation dense rend l'utilisation de la bicyclette très difficile dans la capitale, sauf dans des endroits privilégiés, tels que le grand parc de l'île de Djurgården. Vous pourrez louer une bicyclette à Skepp och Hoch, près de Djurgårdsbron (le pont qui mène à Djurgården).

Au cas où vous voudriez pédaler en dehors de ville, dans les îles d'Öland et de Gotland, par exemple, où les conditions sont idéales, adressez-vous à l'office du tourisme local qui vous proposera un forfait comprenant la location du vélo et le logement.

Renseignez-vous aussi auprès du Svenska Turistföreningen (Touring Club suédois – STF), qui a balisé une trentaine d'itinéraires:

STF, Box 25, Drottninggatan 31–33, 101 20 Stockholm, tél. 08-790 31 00.

BLANCHISSERIE et NETTOYAGE À SEC *(tvätt; kemtvätt).* Le service proposé dans les hôtels ainsi que dans certaines blanchisseries et teintureries sera rapide mais cher (surtout pour le nettoyage à sec). Si vous avez un ballot de linge à laver, rendez-vous plutôt dans une laverie automatique *(tvättomat* ou *tvättbar).* Pour localiser les blanchisseries, consultez l'annuaire *(Gula Sidorna),* sous *Tvätt – Kemisk Tvätt* ou *Tvättbarer.*

CAMPING. La Suède compte plus de 500 terrains classés officiellement de 1 à 3 étoiles selon les commodités qu'ils offrent. Les trois campings aux alentours de Stockholm sont: Bredäng (à 15 minutes du centre-ville, vers le nord), Rösjön, à Sollentuna, et Ängby, dans la banlieue de

Bromma. Pour avoir une liste complète des campings suédois, achetez un exemplaire du *Campingboken* (le «Guide du campeur»), publié par l'Office du tourisme suédois; il est en vente dans toutes les librairies.

Si vous ne possédez pas de carte internationale de camping, vous pourrez vous en procurer une, émise pour la Suède par le Sveriges Campingvärdars Riksförbund (SCR). Il ne vous en coûtera que quelques couronnes au premier terrain choisi. Et l'on vous remettra gratuitement un petit guide, qui, comme le *Campingboken,* répertorie les sites de façon très précise, mais par région uniquement. Les chèques-camping sont valables presque partout et vous donnent droit à des réductions. A l'achat, vous serez informé sur les terrains et sur les sites qui les entourent. Avant de quitter votre pays, renseignez-vous aussi auprès de l'Office du tourisme suédois.

La location d'un **bungalow** meublé – avec en général la jouissance d'une cuisine équipée – est également très abordable. Munissez-vous simplement d'un sac de couchage. La liste de ces bungalows est disponible dans tous les terrains de camping.

Selon la tradition des *allemansrätten* (droits individuels), vous pourrez, sans autorisation, planter votre tente pour une nuit dans n'importe quelle propriété privée (cela ne vaut pas pour une caravane !). Pourtant, les exceptions existent. Mieux vaut donc prendre contact au préalable avec le propriétaire du terrain. Assurez-vous aussi que votre tente n'est pas trop proche d'une maison, ni d'un jardin, et que vous laissez l'emplacement propre et intact.

CARTE DE STOCKHOLM. Cette *Stockholmskortet,* qui s'apparente par son aspect à une carte de crédit, permet à qui l'achète de visiter la capitale à un prix très raisonnable. Valable de 1 à 3 jours, cette carte donne à son détenteur libre accès à près de 60 musées, châteaux et autres monuments ou sites, ainsi que le droit de circuler librement sur tous les transports publics – y compris les bus et les bateaux réservés aux tours de ville; elle permet aussi de bénéficier de prix réduits pour les excursions au palais de Drottningholm et du parking gratuit (à condition de prendre une carte de parking spéciale au moment de l'achat). Bien utilisée, cette «clé de Stockholm» deviendra des plus avantageuses. Pour vous la procurer, adressez-vous à la Maison de Suède, à la gare ou aux offices de tourisme locaux.

CARTES ROUTIÈRES et PLANS. Les stations-service et les librairies vendent des cartes routières du pays. Des plans de ville sont distribués gratuitement dans les offices du tourisme et dans la plupart des hôtels, mais ceux vendus en librairie, dans les bureaux de tabac et dans les kiosques, sont plus détaillés et comportent un index des rues. Falk-Verlag, qui a établi la cartographie du présent guide, a publié un plan de Stockholm.

CIGARETTES, CIGARES, TABAC *(cigarett, cigarr, tobak)*. Fumer est une habitude onéreuse en Suède; pourtant, pratiquement toutes les grandes marques internationales se vendent dans les bureaux de tabac et les kiosques. Vous paierez plus cher si vous achetez vos cigarettes ou vos cigares dans un grand restaurant. Les cigarettes locales sont assez bonnes et l'on reconnaît à la Suède l'excellente qualité de son tabac pour la pipe.

Toutefois, il est interdit de fumer dans les transports en commun (hormis dans certaines zones) et dans nombre d'endroits publics.

COIFFEURS *(frisör)*. Nombreux sont les salons pour dames ou messieurs (ou mixtes) à Stockholm, sans compter ceux des grands hôtels. Prenez rendez-vous sur place ou par téléphone. Les prix sont variables mais, en règle générale, assez élevés. Voyez également l'annuaire *(Gula Sidorna)* sous *Damfriseringar* (coiffeurs pour dames) ou *Herrfrisörer* (pour messieurs).

shampooing et mise en plis	**tvättning och läggning**
coupe	**klippning**
effilage	**putsning**
brushing	**föning**
permanente	**permanent**

CONDUIRE EN SUÈDE. Si vous vous rendez en Suède en voiture, il vous suffit d'avoir:

- un permis de conduire national ou international
- le permis de circulation du véhicule (carte grise)
- l'indicatif du pays d'origine apposé à l'arrière du véhicule
- la carte verte ou toute autre attestation d'assurance valable à l'étranger.

Routes et réglementation. Roulez à droite, doublez à gauche. Sur les routes principales et les grandes artères urbaines, vous serez la plupart du temps prioritaire, ainsi que, généralement, dans les ronds-points. Mais dans tous les autres cas, les voitures venant de droite ont priorité.

L'usage des ceintures de sécurité est obligatoire, y compris sur les sièges arrière quand ils en sont équipés. Tous les véhicules (les motocyclettes incluses) doivent rouler en code, même en plein jour. **111**

C   Les autoroutes sont peu nombreuses, mais la qualité du réseau routier est très bonne. Prenez votre temps et empruntez les voies secondaires. Vous jouirez ainsi pleinement d'un environnement à l'état naturel – c'est l'un des grands attraits de la Suède. L'usage des panneaux internationaux est très répandu, mais vous vous trouverez sans doute confronté à des indications telles que:

biljettautomat	distributeur automatique de billets
bussfil	file réservée aux bus
busshållplats	arrêt d'autobus
ej genomfart	passage interdit
privat parkering	parking privé
privat väg	voie privée

Les contrôles des papiers et de l'état du véhicule sont fréquents en ce pays. Le taux d'alcoolémie est aussi un sujet de contrôle très strict; s'il dépasse 0,2 g/l, le sujet appréhendé risque d'être poursuivi et même emprisonné!

Limitations de vitesse. Elles sont indiquées sur des panneaux le long de toutes les routes. Sur les autoroutes, les voitures de tourisme peuvent rouler à 110 km/h mais ne doivent pas dépasser 70 km/h si elles tractent une remorque. Ailleurs, et en dehors des zones habitées, les limitations sont fixées à 70 ou à 90 km/h selon la largeur de la route et l'intensité du trafic qui l'emprunte. En ville, la vitesse maximale autorisée est de 50 km/h.

Essence. Les postes à essence sont nombreux, la plupart en self-service, certains disposant de pompes automatiques qui fonctionnent vingt-quatre heures sur vingt-quatre. Ces pompes «absorbent» des billets de 10 et de 100 couronnes et sont signalées par des panneaux portant l'indication *Nattöppet* ou *Sedelautomat*. Le soir, ce sont généralement les seuls points de vente.

Stationnement. En dehors des agglomérations, le stationnement est interdit le long des grandes routes, mais les aires de dégagement sont nombreuses. Dans la capitale, les parcmètres indiquent les emplacements autorisés. Il existe aussi des garages sur plusieurs niveaux.

Pannes. En cas d'ennuis sérieux, appelez la police ou le *Larmtjänst* (service de dépannage), une filiale des compagnies d'assurances suédoises. A Stockholm, composez le 08-24 10 00, ailleurs en Suède, le 020-91 00 40. La plupart des grandes stations-service disposent de mécaniciens pendant la journée.

Location de voitures *(biluthyrning)*. Il existe, outre de grandes sociétés internationales, toute une gamme de bonnes compagnies locales à Stockholm. Vous pourrez louer une voiture à l'aéroport, à moins que vous ne demandiez la liste des loueurs à votre hôtel ou à votre agence de voyages. Vous pouvez aussi consulter l'annuaire *(Gula Sidorna),* sous *Biluthyrning.*

Pour louer une voiture, il faut avoir 18 ans, posséder un permis de conduire et présenter son passeport. A moins que vous ne soyez en possession d'une carte de crédit, on vous demandera d'effectuer un dépôt de garantie.

permis de conduire	**körkort**
carte grise	**besiktningsinstrument**
Je voudrais louer une voiture demain.	**Jag skulle vilja hyra en bil i morgon.**
pour une journée/ une semaine	**över dagen/för en vecka**
Avec assurance tous risques, s'il vous plaît.	**Kan jag få den helförsäkrad.**
Veuillez vérifier l'huile/ les pneus/la batterie, s'il vous plaît?	**Kan ni kontrollera oljan/ däcken/batteriet, tack.**
Ma voiture est en panne.	**Bilen har gått sönder.**
Il y a eu un accident.	**Det har hänt en olycka.**

DÉCALAGE HORAIRE. La Suède est à l'heure de l'Europe centrale, soit GMT + 1, et adopte l'heure d'été, à l'instar de la plupart des pays européens. Pour les Canadiens, signalons que lorsqu'il est midi à Stockholm en été, il est 6 h du matin à Montréal.

Quelle heure est-il, s'il vous plaît?	**Hur mycket är klockan?**

DÉLITS et VOLS. A Stockholm, comme ailleurs, le taux des délits augmente avec les années. Il y a peu de chances pour que vous soyez attaqué ou que l'on vous arrache votre sac à main, mais néanmoins, tard le soir, évitez certains lieux – les parcs comme Humlegården, par exemple – qui sont, sinon dangereux du moins peu sûrs. Pensez à placer vos objets de valeur dans le coffre de votre hôtel et ne laissez pas d'appareil de photo ni d'objet en vue dans votre voiture, même si les portes sont verrouillées. Voir aussi Police.

D **DISTRACTIONS POUR LES ENFANTS.** Dans la capitale suédoise, les enfants n'ont pas le temps de s'ennuyer: manèges au parc d'attractions de Gröna Lund, animaux au zoo de Skansen (les enfants peuvent caresser ceux de la ferme), sections spéciales réservées aux jeunes dans la plupart des musées, et plus prosaïquement, places de jeux dans la plupart des parcs.

Ne ratez pas Kulturhuset (voir p. 33), où garçons et filles de tous âges peuvent fabriquer des socques, façonner de la glaise ou s'adonner à divers travaux artisanaux.

Par ailleurs, le vaisseau royal *Wasa,* restauré, offre une occasion unique de comprendre ce que fut la vie en mer au XVIIe siècle.

Enfin, au départ de Stockholm, des services réguliers vous conduiront dans les îles innombrables de l'archipel. Bien des enfants ne demandent rien de plus que de pouvoir escalader les rochers, pêcher ou nager.

E **EAU** *(vatten).* L'eau du robinet est potable dans tout le pays. Dans les coins reculés, à la montagne, on peut même boire sans danger l'eau des lacs et des torrents. Rien ne vous empêche pourtant de vous désaltérer avec une eau minérale. Les marques locales sont excellentes.

F **FORMALITÉS D'ENTRÉE et DOUANE.** Pour pénétrer en Suède, le séjour ne devant pas excéder trois mois, les ressortissants belges, français et suisses présenteront leur carte d'identité. Les Canadiens se muniront d'un passeport en cours de validité.

Le tableau suivant indique ce que vous pourrez importer et exporter en franchise:

Introduction en:	Cigarettes		Cigares		Tabac	Alcool		Vin
Suède 1)	200	ou	50	ou	250 g	1 l	et	1 l
2)	400	ou	100	ou	500 g	1 l	et	1 l
Belgique France Suisse	200	ou	50	ou	250 g	1 l	et	2 l
Canada	200	et	50	et	900 g	1,1 l	ou	1,1 l

1) Résidents de pays européens
2) Résidents de pays non européens

Contrôle des changes. Il n'existe pas de restriction en matière d'importation ou d'exportation d'argent, qu'il s'agisse de couronnes ou de devises étrangères. Pour autant que les montants aient été déclarés à l'arrivée.

GUIDES et INTERPRÈTES *(guide; tolk)*. L'Office du tourisme suédois et le Service d'information de Stockholm sont de bon conseil en matière d'excursions et de voyages. Ce dernier est aussi à même d'engager un guide officiel sur demande.

Dans les cars et les bateaux qui effectuent des visites touristiques, les guides sont polyglottes. Certains musées proposent des visites guidées. Réservez en appelant le 789 24 31, 7 jours sur 7.

J'aimerais un guide parlant français.	**Jag skulle vilja en franskspråkig guide.**

HABILLEMENT. A Stockholm, le temps est souvent idéal en été: agréablement chaud et peu humide. Le soir, il peut faire frais; prenez donc un pull-over ou un châle.

Au printemps et en automne, un manteau léger ou un imperméable pourraient être utiles. En hiver, bien sûr, il vous faudra des vêtements chauds et des bottes, selon les promenades que vous envisagez.

Les Suédois aiment s'habiller lorsqu'ils se rendent au théâtre, au concert ou à l'opéra. Par ailleurs, certains restaurants exigent de leurs clients qu'ils se mettent sur leur trente et un (cravate et veste sont alors de rigueur).

Si vous prévoyez de visiter à pied la vieille ville et les parcs, n'oubliez pas d'emporter de bonnes chaussures. Et pour les randonnées, des bottes, un pull chaud et un imperméable.

HEURES D'OUVERTURE. La plupart des boutiques et des grands magasins sont ouverts de 9 h ou 9 h 30 à 18 h en semaine, et jusqu'à 13 h le samedi (plus tard en hiver). Les magasins d'alimentation respectent les mêmes horaires, mais certains supermarchés des grandes stations de métro restent ouverts plus longtemps en semaine, ainsi que le dimanche après-midi. Les magasins d'alimentation appelés *närbutiker* ouvrent tous les jours, soit de 7 h à 23 h, soit de 10 h à 22 h.

Les bureaux de poste fonctionnent de 9 h à 18 h du lundi au vendredi; la poste centrale de Stockholm, elle, ouvre ses portes de 7 h à 21 h en semaine et de 10 h à 13 h le samedi.

Quant aux banques, elles ouvrent de 9 h 30 à 15 h du lundi au vendredi (certaines rouvrent une fois par semaine l'après-midi, entre 16 h et 17 h 30). La banque de l'aéroport d'Arlanda ouvre tous les jours de 7 h à 22 h, tandis que le bureau de change de la gare centrale fonctionne, lui, de 8 h à 21 h.

Les musées accueillent les visiteurs de 10 h ou 11 h à 16 h (voir aussi l'encadré pp. 62–63).

Les pharmacies, enfin, observent les mêmes horaires que les magasins; certaines sont de garde de nuit et le dimanche (voir aussi SOINS MÉDICAUX).

HÔTELS et LOGEMENT *(hotell; logi).* A Stockholm, comme partout en Suède, les **hôtels** jouissent d'une réputation justifiée quant à leur propreté et à la qualité des services qu'ils offrent, quelle que soit leur catégorie. Vous risquez de rencontrer quelque difficulté à vous loger dans la capitale si vous y parvenez sans avoir réservé de chambre. Mieux vaut donc vous y prendre à temps. Demandez à votre agent de voyages ou à l'Office du tourisme suédois de votre pays de vous remettre la brochure *Hotels in Sweden,* mise à jour chaque année et qui fournit conditions d'hébergement et prix.

Par la même occasion, renseignez-vous au sujet de l'arrangement Special Stockholm (hôtel, petit déjeuner et Carte de Stockholm compris) et des chèques-hôtels, valables du 15 juin au 1er septembre, adoptés par 250 hôtels en Suède, qui accordent ainsi des réductions. Ils sont particulièrement utiles si vous envisagez de rayonner dans le pays. Avant votre départ, réservez votre chambre pour la première nuit. Sur place, chaque matin, le réceptionniste de votre hôtel se chargera de la réservation suivante et à titre gracieux. Les enfants de moins de 12 ans sont logés gratuitement, pour autant qu'ils n'occasionnent pas la mise en place d'un lit supplémentaire. Notez que certains hôtels offrent des conditions spéciales le week-end et durant les mois d'été.

Si vous arrivez à Stockholm sans réservation, adressez-vous à l'Hotellcentralen, qui dépend de l'Office du tourisme; cet organisme dispose en particulier d'un bureau à l'aéroport et d'un autre à la gare (tél. 08-24 08 80).

Auberges de jeunesse *(vandrarhem).* Les quelque 300 auberges, réparties dans tout le pays, dépendent du Touring Club de Suède. Confortables, bon marché et ouvertes à tous sans limite d'âge, ces auberges disposent de chambres généralement équipées de l'eau chaude et froide, et même de douches (beaucoup proposent des chambres familiales, réservées en particulier aux automobilistes accompagnés d'enfants de moins de

16 ans). Les sacs de couchage n'étant pas admis, apportez vos draps (sur place, vous pourrez, le cas échéant, acheter des draps en papier). La plus étonnante de ces auberges est l'*af Chapman,* un schooner du XIXe, ancré en permanence au quai Skeppsholmen, au cœur de la capitale.

Si vous êtes membre d'une organisation affiliée à la Fédération internationale des auberges de la jeunesse, votre carte est valable en Suède. Toutes les auberges suédoises sont répertoriées dans le guide de la FIAJ. Pour plus de renseignements, adressez-vous:

en Suède: au Svenska Turistföreningen (Touring Club de Suède), Drottninggatan 31–33, Stockholm, tél. 08-790 31 00

au Canada: à la Canadian Hostelling Association, 1600 James Naismith Drive, Suite 608, Gloucester, Ontario KAB 5N4, tél. (613) 748 56 38

en Belgique: à la Centrale wallonne des auberges de jeunesse, rue van Oost 52, 1030 Bruxelles, tél. (02) 215 31 00

en France: à la Fédération unie des auberges de jeunesse, rue Pajol 27, 75118 Paris, tél. 42 41 59 00

en Suisse: à l'Auberge de jeunesse ASJ, rue Rothschild 28–30, 1202 Genève, tél. (022) 732 62 60.

L'organisation estudiantine SSRS met l'Hôtel Domus à la disposition des visiteurs. En été, les chambres (occupées le reste de l'année par les étudiants eux-mêmes) sont louées à des prix raisonnables. Adressez-vous au:

Box 590, 6, Körsbärsvägen 1, 114 89 Stockholm, tél. 08-16 01 95.

JOURNAUX et MAGAZINES *(tidning; tidskrift).* Les journaux et magazines étrangers sont en vente – généralement avec un jour de retard – à la gare centrale, à l'aéroport, dans certains hôtels, bureaux de tabac et kiosques du centre de Stockholm. Au Pressbyrån International Presscenter, situé dans Gallerian, vous pourrez acheter *Le Monde,* le *Figaro, France-Soir* et de nombreuses revues en langue française.

Avez-vous des journaux en français? **Har ni några franska tidningar?**

JOURS FÉRIÉS *(helgdag).* Ces jours-là, boutiques, banques et bureaux sont fermés, mais de nombreux cinémas, magasins d'alimentation et lieux touristiques restent accessibles au public. La veille des jours de fête, la plupart des magasins ferment plus tôt. La veille de Noël, enfin, tout ou presque est fermé.

J

1er janvier	*Nyårsdagen*	Nouvel an
6 janvier	*Trettondagen*	Epiphanie
1er mai	*Första Maj*	Fête du Travail
le samedi qui tombe entre le 20 et le 26 juin	*Midsommardagen*	Saint-Jean
le samedi qui tombe entre le 31 octobre et le 6 novembre	*Allhelgonadagen*	Toussaint
25/26 décembre	*Juldagen/ Annandag jul*	Noël

Fêtes mobiles: Vendredi saint *(Långfredagen)*, Pâques *(Påskdagen)*, Lundi de Pâques *(Annandag påsk)*, Ascension *(Kristi himmelsfärdsdag)*, dimanche et lundi de Pentecôte *(Pingstdagen/ Annandag pingst)*.

Ouvrez-vous demain? **Har ni öppet i morgon?**

L **LANGUE.** En Suède, la première langue étrangère que l'on apprend à l'école, c'est l'anglais. Si vous le parlez vous aussi, vous n'aurez donc aucune difficulté à vous faire comprendre.

Le fait de séjourner quelque temps en Suède vous donnera peut-être envie de vous familiariser un peu plus avec le suédois, langue à la courbe mélodique très chantante et régulière. On dirait une vague...

Si les consonnes se prononcent généralement de la même façon qu'en français, les voyelles diffèrent parfois. Ainsi, le **a** devient *ô*, comme dans côte; le **e** se prononce *é;* le **y** ressemble au *u*, tandis que le **o** se prononce soit *o*, soit *ou;* selon les cas, le **u** devient une sorte de *û* pointu ou *eu*. Enfin, l'alphabet comporte trois voyelles supplémentaires: **å** = *o*, comme dans chaud; **ä** = *ê*, comme dans fête; **ö** = *eu*, comme dans feu. Ces lettres viennent après les 26 lettres de l'alphabet suédois. C'est important lorsqu'on consulte un annuaire!

Pour soutenir vos efforts, consultez le petit dictionnaire de poche bilingue suédois-français/français-suédois, réalisé par Berlitz. Voici quelques mots pour vous mettre dans l'ambiance:

Bonjour (le matin)	**God morgon**	Bonjour/ bonsoir	**Goddag**
Bonne nuit	**God natt**	Salut	**Hej**
Au revoir	**Adjö**	A bientôt	**Hej då**

OBJETS TROUVÉS *(hittegods)*. Intégré au poste de police de Tjär-hovsgatan 21 (tél. 08-769 30 75), le bureau central des Objets trouvés *(hittegodsexpedition)* observe les horaires suivants: de 9 h à midi et de 13 h à 17 h du lundi au vendredi. C'est aussi là que les chauffeurs de taxi déposent les objets oubliés dans leur véhicule.

Si vous perdez quelque chose dans le bus ou dans le métro, allez au Bureau des transports de la ville de Stockholm (SL), sis dans la station de métro de Rådmansgatan; il fonctionne de 11 h à 16 h du lundi au vendredi et de 17 h à 19 h le jeudi (tél. 600 10 00).

OFFICES DU TOURISME. La Suède compte quelque 300 bureaux d'information touristique à but non lucratif. Ces *Turistbyrå* sont signalés par le panneau vert international (un grand «i» blanc sur fond vert).

A Stockholm, la Maison de Suède regroupe plusieurs organisations touristiques en ses murs, ainsi qu'une bibliothèque et une librairie. Ci-dessous, quelques adresses utiles:

Maison de Suède *(Sverigehuset)*, Hamngatan 27, près de Kungsträd-gården, tél. 08-789 20 00. Cet immeuble abrite donc le Service d'information de Stockholm, le Centre du tourisme et l'Institut suédois *(Svenska Institutet)*.

La Boutique de Voyage de Suède fournit des informations sur les régions de Suède autres que Stockholm et peut vous réserver des billets de train ou d'avion ou un hôtel. On ne peut cependant la contacter par téléphone. Son adresse est: Stureplan 8.

Hotellcentralen. Ce Service de réservation hôtelière, dispose d'un bureau à l'aéroport et d'un bureau à l'entresol de la gare de Stockholm (tél. 08-24 08 80).

«Frida». C'est le Service automatique de renseignements par téléphone (en anglais): 08-22 18 40.

Représentations de l'Office du tourisme suédois à l'étranger:

Belgique: Bureau Scandinavia, Anderlechtse Weggevoerdenstraat 1, 1070 Bruxelles, tél. (02) 521 81 72

Canada (représentation aux Etats-Unis): Scandinavian National Tourist Offices, Third Avenue 655, 18th floor, New York, NY 10017, tél. (212) 949 23 33

France: Office du tourisme suédois, avenue des Champs-Elysées 146–150, 75008 Paris, tél. (1) 42 25 65 52

Suisse: Schwedische Touristik-Information, Wiesenstrasse 9, 8008 Zurich, tél. (01) 383 41 30.

P **PHOTOGRAPHIE** *(fotografering)*. Tous les types courants d'appareils et de pellicules sont en vente en ce pays à des prix intéressants; les appareils constituent même de très bons achats.

Le développement des films couleurs prend généralement une semaine, et d'une heure à deux jours dans certaines boutiques du centre-ville disposant d'un service spécial pour touristes.

Les prises de vue sont parfois autorisées dans les musées, mais jamais avec un appareil muni d'un pied ou d'un flash.

Je voudrais un film pour cet appareil.	**Jag skulle vilja ha en film till den här kameran.**
un film noir et blanc	**svartvit film**
un film pour tirages couleurs	**färgfilm**
un film pour diapositives	**färgfilm för diabilder**
Combien de temps faut-il pour faire développer (et faire des tirages de) ce film?	**Hur lång tid tar det att framkalla (och göra kopior av) den här filmen?**

POLICE *(polis)*. Les policiers de la capitale patrouillent dans des voitures portant l'inscription POLIS. Très courtois et serviables envers les touristes, ils parlent tous un peu l'anglais. N'hésitez pas à vous adresser à eux. Le quartier général de la police à Stockholm est à:
Agnegatan 33-37, tél. 08-769 30 00.

Les contractuelles, qui déambulent en costume bleu ciel, resteront inflexibles face à celui qui sera pris en flagrant délit de stationnement irrégulier.

Sur les routes et les autoroutes, les barrages de contrôle sont très fréquents. Les policiers portent alors un uniforme bleu vert. Voir aussi CONDUIRE.

Où est le poste de police le plus proche?	**Var ligger närmaste polisstation?**

POSTES et TÉLÉCOMMUNICATIONS. Les postes ne se chargent que du courrier. Ce sont les bureaux de *Tele* qui assurent le service des télécommunications (téléphone, télégrammes et télex).

Poste *(postkontor)*. Proche de la gare, la poste centrale est située à Vasagatan 28-34 (Stockholm 1). Si vous désirez recevoir votre courrier en poste restante, c'est là qu'il faudra vous le faire adresser. Les timbres et les aérogrammes sont en vente dans les bureaux de poste, mais aussi dans les tabacs, les kiosques, les grands magasins et les hôtels.

Vous identifierez un bureau de poste à son panneau jaune portant un cor de chasse bleu et les boîtes aux lettres à leur couleur jaune.

Téléphone *(telefon)*, **télégrammes, télex.** Tous les téléphones publics sont équipés de l'automatique, qu'ils soient situés dans des cabines en verre sur le trottoir, ou dans les bureaux de *Tele* (voir plus bas). Les conseils d'utilisation apparaissent en suédois et en anglais. Pour appeler la Belgique, composez l'indicatif 00932, pour la France le 00933 et pour la Suisse le 00941. Pour tout renseignement concernant les appels à l'étranger, formez le 0019.

Vous pourrez envoyer vos télex et vos télégrammes aussi bien d'une cabine publique que d'un bureau de télégraphe *(Tele)*. Le bureau principal de Stockholm, ouvert tous les jours de l'aube à minuit, est à Skeppsbron 2. Il est également possible d'envoyer vos télégrammes par téléphone au 0021.

Un timbre pour cette lettre/ carte postale, s'il vous plaît.	**Kan jag få ett frimärke till det här brevet/vykortet.**
par avion	**flygpost**
par exprès	**express**
en recommandé	**rekommenderat**

RADIO et TÉLÉVISION. Sveriges Radio (la Compagnie de radiodiffusion suédoise), organisation semi-gouvernementale, a un monopole sur tous les programmes diffusés en Suède par les trois stations de radio et les deux chaînes de télévision (financées par les redevances). La publicité est interdite à la radio comme à la télévision.

RENCONTRES. Les Suédois ne sont pas d'un abord très facile et ils le reconnaissent volontiers. Mais si vous arrivez à percer leur nature réservée, vous découvrirez leur côté exceptionnellement amical et chaleureux. C'est dans les restaurants où l'on danse, que touristes et Suédois se rencontreront le plus aisément.

Au Kungsträdgården, une partie d'échecs ou de ping-pong brisera la glace, de même qu'un échange d'impressions à la sortie d'un concert. Au Kulturhuset, les activités offertes créent inévitablement le dialogue entre les participants d'un même groupe.

S **SERVICES RELIGIEUX.** L'église évangélique luthérienne regroupe 95% de la population. On compte, par ailleurs, 60 000 catholiques, des juifs et des adeptes d'autres religions.

Catholiques, juifs et protestants pourront se rendre aux endroits suivants :

catholiques: Marie Bebådelsekyrkan, Linnégatan 79, tél. 661 69 36

juifs: Grande synagogue, Wahrendorffsgatan 3A, tél. 23 51 60

protestants: Paroisse réformée française, Humlegårdsgatan 13, tél. 662 81 32.

SOINS MÉDICAUX (voir aussi Heures d'ouverture et Urgences). Vérifiez, avant votre départ, si votre assurance maladie est valable en Suède.

Les **pharmacies** *(apotek)* vendent les médicaments courants, tels que les sirops contre la toux ou l'aspirine et les ordonnances sont exécutées. La pharmacie Scheele, près de la gare, est ouverte vingt-quatre heures sur vingt-quatre. Son adresse :

C.W. Scheele, Klarabergsgatan 64, tél. 08-24 82 80.

T **TOILETTES** *(toalett)*. Des toilettes publiques sont situées dans les stations de métro, dans les grands magasins, dans les grandes rues et sur les places, dans les parcs. Elles sont souvent indiquées par des silhouettes ou par une inscription : *WC, Damer/Herrar* (Dames/Messieurs) ou seulement par les initiales *D/H*. Certaines des portes sont munies d'un système d'ouverture à pièces de monnaie ; à d'autres endroits, les lieux sont entretenus par une personne qui vous fournira savon et serviette pour quelques pièces. Mais, en règle générale, l'usage des toilettes est gratuit.

Où sont les toilettes? **Var är toaletten?**

TRANSPORTS EN COMMUN. Outre un métro *(tunnelbana)* moderne et efficace, Stockholm possède un très bon réseau d'autobus. Ces moyens de transport fonctionnent de 5 h du matin (un peu plus tard le dimanche) à 2 h du matin suivant. Les stations de métro sont indiquées par un «T» bleu. Vous pourrez consulter les plans du réseau affichés dans les stations et dans les rames.

Les **billets** sont valables pour tous les moyens de transport pendant une heure à partir de leur compostage. Ils sont en vente dans les stations de métro et chez les marchands de journaux *(pressbyrån)* en carnets de 18 unités. On peut aussi en acheter aux conducteurs de bus. Le nombre de billets à composter est fonction du trajet à parcourir. Enfants et retraités paient moitié prix.

Les touristes peuvent bénéficier de tickets spéciaux, valables un ou trois jours, en vente dans les *pressbyrån*.

Bus touristiques. Ils font la navette entre les principales attractions.

Taxis. Vous pourrez les héler n'importe où dans la rue ou en emprunter à l'une des stations de la ville, que l'on repère par le signe *Taxi* qu'elles arborent (la plus importante fait face à la gare centrale). Le véhicule portant l'indication *Ledig* annonce qu'il est libre. Aux heures de pointe et les jours de mauvais temps, les taxis sont toutefois rares. Vous pourrez en réserver un au 08-15 04 00. Pour le pourboire, lire la rubrique Argent.

Trains *(tåg).* Le réseau des Chemins de fer suédois *(Statens Järnvägar* ou *SJ)* est très étendu; 90% des lignes sont électrifiées. La plupart des grandes villes du pays sont desservies à des fréquences rapprochées (toutes les 2 ou 3 heures) au départ de la gare centrale *(Centralstationen)* de Stockholm et des lignes relient régulièrement la capitale suédoise aux grandes cités européennes.

Modernes, propres, confortables et ponctuels, les trains sont formés de wagons de 1re et de 2e classe. Pour les longs trajets, ils sont équipés de couchettes (compartiments de 1, 2 ou 3 places), de lavabos et d'un wagon-restaurant (dans lequel il est interdit de fumer).

Les tarifs sont dégressifs selon la longueur du voyage; plus le trajet est long, moins vous payez au kilomètre. Le train est gratuit pour les enfants de moins de 6 ans. La réservation est souvent obligatoire, en particulier sur les express *(expresståg).* Les billets sont en vente dans les agences de voyages et à la gare centrale où vous pourrez également faire vos réservations. Renseignez-vous sur les diverses formules de voyages, car des réductions peuvent, dans certains cas, vous être octroyées.

Autocars *(snabbussar).* Les autocars express peuvent remplacer ou compléter le trajet en train sur nombre de parcours. Bien qu'il existe des compagnies privées, les Chemins de fer suédois eux-mêmes exploitent un système bon marché de transports publics routiers entre les villes, les villages et les régions que ne dessert pas le rail.

Pour tout renseignement sur les horaires et les réservations, adressez-vous au Cityterminalen (tél. 08-23 71 90). Les succursales de cette Compagnie nationale des chemins de fer et autocars sont indiquées par les panneaux *«SJ Resebyrå»*. Vous pourrez acheter un billet dans n'importe quelle gare.

U **URGENCES** (voir aussi Soins médicaux). En Suède, le numéro pour toutes les urgences – police, pompiers, ambulance, médecin – est le 90 000, numéro qui peut être composé gratuitement de n'importe quelle cabine. Vous pourrez généralement vous faire comprendre si vous parlez anglais.

Au cas où vous tomberiez malade ou si vous êtes victime d'un accident, demandez au réceptionniste de votre hôtel ou toute autre personne d'appeler un médecin. A moins que vous ne vous présentiez directement au service des urgences d'un hôpital *(akutmottagning)* ou à la permanence médicale *(City-Akuten)* de:

Holländargatan 3, tél. 08-11 71 77.

Pour les soins dentaires d'urgence, allez à la clinique dentaire:

Akuttandvården, St. Eriks Sjukhus, Fleminggatan 22, 112 82 Stockholm, tél. 54 11 17 (ouverte de 8 h à 19 h; appels téléphoniques jusqu'à 21 h).

En dehors de ces heures, appelez le Sjukvårdsupplysningen (tél. 44 92 00), un service qui, vingt-quatre heures sur vingt-quatre, peut vous mettre en rapport avec un dentiste.

NOMBRES

1	en, ett	18	arton
2	två	19	nitton
3	tre	20	tjugo
4	fyra	21	tjugoen
5	fem	22	tjugotvå
6	sex	30	trettio
7	sju	31	trettioen
8	åtta	32	trettiotvå
9	nio	40	fyrtio
10	tio	50	femtio
11	elva	60	sextio
12	tolv	70	sjuttio
13	tretton	80	åttio
14	fjorton	90	nittio
15	femton	100	hundra
16	sexton	500	femhundra
17	sjutton	1000	tusen

QUELQUES EXPRESSIONS UTILES

oui/non	**ja/nej**
s'il vous plaît/merci	**var snäll och/tack**
excusez-moi	**ursäkta mig**
où/quand/comment	**var/när/hur**
combien de temps/à quelle distance	**hur länge/hur långt**
hier/aujourd'hui/demain	**igår/idag/i morgon**
jour/semaine/mois/année	**dag/vecka/månad/år**
gauche/droite	**vänster/höger**
en haut/en bas	**uppe/nere**
bon/mauvais	**bra/dålig**
exact/faux	**rätt/fel**
grand/petit	**stor/liten**
bon marché/cher	**billig/dyr**
chaud/froid	**varm/kall**
vieux/neuf	**gammal/ny**
ouvert/fermé	**öppen/stängd**
entrée/sortie	**ingång/utgång**
tirez/poussez	**drag/skjut**
autorisé/défendu	**tillåten/förbjuden**
occupé/libre	**upptagen/ledig**
Je ne comprends pas.	**Jag förstår inte.**
Veuillez me l'écrire, s'il vous plaît.	**Kan ni skriva det?**
Qu'est-ce que cela veut dire?	**Vad betyder det här?**
Pouvez-vous m'aider, s'il vous plaît?	**Kan ni hjälpa mig?**
Je voudrais...	**Jag skulle vilja ha...**
Combien coûte ceci?	**Hur mycket kostar det?**

JOURS DE LA SEMAINE

lundi	**måndag**	vendredi	**fredag**
mardi	**tisdag**	samedi	**lördag**
mercredi	**onsdag**	dimanche	**söndag**
jeudi	**torsdag**		

Index

Chaque numéro de page suivi d'un astérisque renvoie à une carte. Enfin, si en suédois les lettres å, ä et ö se placent à la fin de l'alphabet, nous avons, quant à nous, choisi de les intégrer «normalement» dans notre index.

INDEX